De liefde van don Júbilo

LAURA ESQUIVEL

De liefde van don Júbilo

Vertaald door Ilona van der Werff-Nieuweboer
en Felicitas van Wijk-Gertenaar

ARENA

Eerste druk, augustus 2001
Tweede druk, februari 2002

Oorspronkelijke titel: *Tan veloz como el deseo*
© Laura Esquivel, 2001
© Nederlandse uitgave: Arena Amsterdam, 2001
© Vertaling uit het Spaans: Ilona van der Werff-Nieuweboer
en Felicitas van Wijk-Gertenaar
Omslagontwerp: Mariska Cock, Amsterdam, met dank aan Santa Jet
Foto voorzijde omslag: © Roxann Arwen Mills / Photonica / ImageStore
Foto achterzijde omslag: © Jerry Bauer
Typografie en zetwerk: Studio Cursief, Amsterdam
ISBN 90 6974 416 3
NUGI 301

Ter herinnering aan mijn vader
Julio César Esquivel Mestre

Het noorden trekt, overheerst en tekent ons. Hoe ver we ook van zijn zwaartepunt zijn verwijderd, we worden steevast naar het middelpunt gelokt door een onzichtbare stroom die ons aantrekt, zoals de aarde waterdruppels, de magneet de naald, het bloed het bloed en het verlangen het verlangen aantrekt.

In het noorden liggen mijn wortels, verborgen in de eerste verliefde blik van mijn grootouders, in de eerste aanraking van hun handen. Mijn toekomstige ik nam vaste vorm aan met de geboorte van mijn moeder. Ik hoefde alleen maar te wachten tot haar verlangen en dat van mijn vader één werden en ik onvermijdelijk werd aangetrokken door deze wereld.

Wanneer precies hechtte de sterke magneetblik van het noorden zich aan die van de zee? Want de andere helft van mijn wortels ligt aan zee. Aan de oorsprong van de oorsprong. Mijn vader werd geboren aan zee. Daar bij de groene golven versmolten de verlangens van mijn grootouders zodat er voor hem een plaats werd ingeruimd op deze wereld.

Hoe lang doet het verlangen er over om het juiste signaal te versturen en hoe lang moet het op antwoord wachten? Dat is heel verschillend, maar het hele proces begint onmiskenbaar met een blik. Die baant zich een weg, een aanlokkelijk pad dat de geliefden later keer op keer zullen bewandelen.

Was ik getuige van de eerste verliefde blik van mijn ouders? Waar was ik toen dat gebeurde? Hier moet ik steeds aan denken nu ik de verloren blik van mijn vader zie die afwezig door de ruimte dwaalt. Zou hij andere werelden zoeken? Nieuwe verlangens? Nieuwe blikken die hem naar een andere wereld lokken? Hij praat niet meer. Ik kom het nooit te weten.

Ik zou graag willen weten wat hij hoort, op wiens roep hij wacht. Wie hem naar de andere wereld lokt en wanneer. Wat zal het teken tot vertrek zijn? Wie zal het geven? Wie zal hem leiden? Wij vrouwen zijn in deze wereld de poort tot het leven, maar zijn we dat ook in het hiernamaals? Welke vroedvrouw zal hem bijstaan?

Ik wil graag geloven dat de wierook die ik in de kamer heb branden een vlecht, een band, een koord creëert waardoor hij de benodigde hulp zal ontvangen. De aromatische en mysterieuze rook stijgt voortdurend in spiraalvormige kringetjes omhoog en onwillekeurig denk ik dat zij de navelstreng vormen tussen mijn vader en de atmosfeer om hem terug te brengen naar waar hij vandaan kwam.

Wat ik niet weet is waar hij vandaan kwam. En wie of wat op hem wacht in het hiernamaals.

Het woord mysterie beangstigt me. Om mezelf gerust te stellen roep ik herinneringen op, alles wat ik weet van papa. Ik veronderstel dat hij ook doodsbang is omdat zijn blinde ogen geen glimp kunnen opvangen van wat hem te wachten staat.

Als een blik het begin van alles is, dan zit het me dwars dat papa niet kan zien of er anderen aanwezig zijn, dat hij niet de eerste stap op een ander pad wil zetten. Ik hoop dat hij vlug kan zien! Ik hoop dat er een eind aan zijn lijden komt! Ik hoop dat een verlangen hem meevoert!

Lieve papa, ik zou er alles voor over hebben om je op je weg te kunnen bijstaan. Om je te helpen bij deze overgang zoals jij mij bij mijn komst op deze wereld hebt geholpen, weet je nog? Als ik had geweten dat je me teder in je armen zou houden, had ik mijn geboorte niet zo lang uitgesteld.

Maar hoe kon ik dat weten! Voor ik jou en mijn moeder zag was alles duister en verward. Misschien net zoals wat jou nu te wachten staat. Maar maak je geen zorgen, ik weet zeker dat waar je heen gaat iemand op je wacht, zoals jij op mij wachtte. Ongetwijfeld zijn er ogen die verlangend naar je uitkijken. Ga dus in vrede. Hier laat je alleen maar goede herinneringen na. Dat de woorden je mogen vergezellen. Dat de stemmen van allen die je kenden in de ruimte mogen weerklinken. Dat zij een pad voor je effenen. Dat zij de woordvoerders, de bemiddelaars zijn die voor je spreken. Die de komst van de liefdevolle vader aankondigen, van de telegrafist, de verhalenverteller, de man met de lach op zijn gezicht.

I

Hij kwam vrolijk en op een feestdag ter wereld. Hij werd verwelkomd door de hele familie, die voor de feestelijkheden bij elkaar was gekomen. Ze zeggen dat zijn moeder zo moest lachen om de grappen die na het eten werden verteld, dat haar vliezen braken. Eerst dacht ze toen ze de nattigheid tussen haar benen voelde nog dat ze door het lachen in haar broek had geplast, maar al snel begreep ze dat dat niet het geval was en dat die vloed de geboorte van haar twaalfde kind aankondigde.

Lachend verontschuldigde ze zich en liep naar haar kamer. Ze was al elf keer eerder bevallen en deze laatste bevalling duurde slechts een paar minuten. Ze baarde een zoontje dat lachend in plaats van huilend ter wereld kwam.

Na zich te hebben gewassen ging doña Jesusa terug naar de eetkamer en zei tegen haar familieleden: 'Kijk eens wat me is overkomen!'

Allemaal draaiden ze zich naar haar om en op dat ogenblik toonde ze hun het bundeltje dat ze in haar armen hield met de woorden: 'Door al dat lachen is het kind eruit gekomen.'

Een luid gejuich klonk op in de eetkamer en allemaal klapten ze enthousiast in de handen. Haar echtgenoot, Librado Chi, riep met zijn armen in de lucht: '*Qué júbilo!*' 'Wat een vreugde!'

En zo kreeg hij zijn naam. Ze hadden inderdaad geen betere naam kunnen kiezen. Júbilo was een waardige vertegenwoordiger van vreugde, genot en jovialiteit. Zelfs toen hij jaren later blind werd, verloor hij zijn goede humeur niet. Hij leek met zijn geboorte de gave van het geluk te hebben meegekregen. En ik bedoel niet de gave om zelf gelukkig te zijn, maar om iedereen in zijn omgeving gelukkig te maken.

Overal waar hij kwam klonk gelach. Hoe bedrukt de sfeer ook was, bij zijn komst klaarde de lucht als bij toverslag op, kwamen de gemoederen tot rust en ging zelfs de grootste pessimist de dingen van de zonnige kant zien, alsof hij bovendien de gave bezat om gerust te stellen.

Welnu, de enige bij wie zijn gave niet werkte was zijn echtgenote, maar deze ene persoon was de uitzondering die de regel bevestigt.

In het algemeen kon niemand weerstand bieden aan zijn charme en goede humeur. Zelfs Itzel Ay, zijn grootmoeder van vaderskant, die sinds het huwelijk van haar zoon met een blanke vrouw met een boze blik door het leven ging, begon te glimlachen zodra zij hem zag. Daarom noemde ze hem *Che'ehunche'eh Wich*, wat het Maya-woord is voor 'hij met het lachende gezicht'.

De verstandhouding tussen doña Jesusa en doña Itzel was tot de geboorte van Júbilo nooit goed geweest. De reden daarvoor was van raciale aard. Doña Itzel was volbloed Maya en tegen vermenging van haar ras met het Spaanse bloed van doña Jesusa. Ze zette jarenlang geen voet in het huis van haar zoon. Haar kleinkinderen groeiden op zonder dat zij er veel erg in had. Haar verzet was zodanig dat ze geruime tijd weigerde met haar schoondochter te praten met als reden dat ze geen Spaans sprak.

Doña Jesusa zag zich gedwongen de Maya-taal te leren om met haar schoonmoeder te kunnen communiceren. Maar het viel haar erg zwaar een vreemde taal te leren spreken en tegelijkertijd voor twaalf kinderen te moeten zorgen, zodat er weinig en slecht contact tussen beide vrouwen was. Pas na de geboorte van Júbilo kwam hierin verandering.

De grootmoeder ging weer naar het huis van haar zoon omdat ze dolgraag bij dat kind wilde zijn, iets wat ze bij de andere kleinkinderen nooit had gehad, omdat die haar nooit waren opgevallen. Vanaf het eerste moment dat ze Júbilo zag was ze in de ban van zijn lachende gezichtje.

Júbilo kwam in de familie als toegift, als een geschenk uit de hemel waar niemand meer op had gerekend. Een prachtig mooi geschenk, maar ze wisten niet wat ze ermee aan moesten. Het verschil in leeftijd met zijn broers en zusters was zo groot dat Júbilo eigenlijk enig kind was. Sterker nog, zijn speelkameraadjes waren de neefjes van zijn eigen leeftijd, want een paar van zijn broers waren al getrouwd en hadden zelf kinderen. Omdat zijn moeder niet alleen moeder was maar tegelijkertijd echtgenote, grootmoeder, schoonmoeder en schoondochter bracht Júbilo noodgedwongen veel tijd door bij het huispersoneel, totdat zijn grootmoeder hem als lievelingskleinkind adopteerde. Ze brachten het grootste gedeelte van de dag samen door met wandelen, spelletjes doen of praten. De grootmoeder sprak uiteraard in de Maya-taal met haar kleinzoon, zodat Júbilo op heel prille leeftijd het eerste tweetalige kleinkind van doña Itzel werd. En daarom nam hij al vanaf zijn vijfde jaar de taak op zich om als officiële tolk van de familie op te treden. Behoorlijk ingewikkeld voor een klein kind dat moest weten dat als doña Jesusa het over de zee had, ze de zee voor haar huis bedoelde waarin de hele familie altijd ging zwemmen, maar als daarentegen doña Itzel het woord *K'ak'nab* gebruikte, zij niet uitsluitend de zee bedoelde maar de 'vrouw van de zee', een van de verschijningsvormen van de maan, die verbonden was met de watermassa en in de Maya-taal met hetzelfde woord werd aangeduid. Júbilo moest dus bij het vertalen niet alleen op deze nuances letten maar ook op de stembuiging, de trilling van de stembanden, de gelaatsuitdrukking en de bewegingen van de mond van zijn moeder en grootmoeder.

Het was moeilijk, maar Júbilo deed het graag en natuurlijk vertaalde hij niet letterlijk. Tijdens het vertalen voegde hij altijd een of twee vriendelijke woordjes toe die de omgang tussen beide vrouwen wat versoepelde. Het was ondeugend maar had wel tot gevolg dat die twee na verloop van tijd steeds beter met elkaar konden opschieten en zelfs van elkaar gingen houden. Deze ervaring maakte hem duidelijk dat woorden in staat waren mensen tot elkaar te brengen of van elkaar te vervreemden en dat niet de taal die men sprak belangrijk was, maar dat wat er gezegd werd.

Dit klinkt eenvoudiger dan het is. Wanneer grootmoeder kenbaar maakte welke boodschap Júbilo moest overbrengen kwamen haar woorden meestal niet overeen met wat ze werkelijk wilde zeggen. Dat was te merken aan de trilling om haar mond en van haar stembanden. Zelfs voor een onschuldig kind als Júbilo was het duidelijk dat grootmoeder met opzet woorden inslikte. Toch kon Júbilo ze vreemd genoeg horen, ook al werden ze nooit uitgesproken. En het opmerkelijkste aan dat alles was dat die 'stem' die niet werd gehoord, in wezen de wensen van zijn grootmoeder kenbaar maakte. Daarom vertaalde Júbilo zonder erbij na te denken meestal het voor de anderen onhoorbare gemompel in plaats van wat hardop werd gezegd.

Hij deed dat uiteraard nooit met kwade bedoelingen, integendeel, hij wilde altijd verzoenen, het magische woord uitspreken dat die twee vrouwen, van wie hij zoveel hield en die zoveel voor hem betekenden, niet durfden te uiten en dat blijkbaar te maken had met onderdrukte verlangens. De regelmatige ruzies tussen zijn moeder en grootmoeder waren een goed voorbeeld. Júbilo wist zeker dat wanneer een van hen zwart zei, ze eigenlijk wit bedoelde en omgekeerd.

Zo jong als hij was snapte hij niet waarom ze zich het leven zo moeilijk maakten en ondertussen ook dat van hun omgeving, want een ruzie tussen hen had zijn weerslag op alle familieleden. En er ging geen dag voorbij zonder dat ze elkaar in de haren zaten. Ze vonden altijd wel iets om over te bekvechten. Als de een vond dat indianen luier waren dan Spanjaarden, vond de ander dat Spanjaarden meer stonken dan indianen. Kortom, aan argumenten geen gebrek. Maar wat ongetwijfeld het meest gevoelig lag, had te maken met het leven en de gewoonten van doña Jesusa.

Doña Itzel had er altijd over ingezeten dat haar kleinkinderen een leven leidden dat volgens haar niet bij hen paste. Voornamelijk om die reden had ze verkozen uit de buurt te blijven, zodat ze niet hoefde te zien hoe haar schoondochter haar kleinkinderen opvoedde, maar nu was ze weer gekomen en vastbesloten Júbilo, haar lievelingskleinkind, van de ontworteling te redden.

Hij mocht niet vergeten waar zijn wortels lagen en daarom vertelde ze hem voortdurend niet alleen verhalen en legendes van de Maya's maar ook anekdotes over de gevechten die de Maya's voor het behoud van hun geschiedenis hadden moeten leveren. De kastenoorlog was de meest recente, een inheemse opstand waarbij ongeveer 25 000 indianen om het leven waren gekomen en waarin grootmoeder uiteraard een belangrijke rol had gespeeld. Een van de overwinningen die ondanks de geleden nederlaag werd behaald, was dat haar zoon Librado aan het hoofd kwam te staan van een van de belangrijkste sisalexporterende ondernemingen en met een Spaanse vrouw trouwde. Dit laatste was heel ongewoon, want in Yucatán kwam rassenvermenging veel minder voor dan in andere door de Spanjaarden veroverde gebieden. Tijdens de koloniale tijd verbleef een Spanjaard nooit langer dan vierentwintig uur in een indiaans dorp. Ze gingen niet om met de indianen en trouwen deden ze in Cuba en met Spaanse vrouwen, nooit met inheemse. Het huwelijk van een Maya met een Spaanse vrouw was dus heel uitzonderlijk.

Maar voor doña Itzel betekende deze verbintenis eerder een gevaar dan een succes. Het bewijs daarvan was dat haar kleinkinderen, met uitzondering van Júbilo, geen Maya spraken en hun chocola liever met melk dan met water dronken. Iedereen zou met plezier de heftige discussie aanhoren die de vrouwen in de keuken hadden, maar Júbilo niet, want hij moest die vertalen. Het was zaak dan nog beter op te letten dan gewoonlijk, want hij wist dat alles wat hij zei gemakkelijk als een oorlogsverklaring opgevat zou kunnen worden. Die ene dag waren de gemoederen erg verhit. Er waren al wat steken onder water gegeven waardoor Júbilo zich niet erg op zijn gemak voelde, vooral omdat zijn moeder zich duidelijk ergerde aan de woorden van zijn grootmoeder. Het was niet te geloven, maar beide vrouwen waren eigenlijk niet eens over de chocolade aan het bekvechten. Dat was alleen maar een smoes.

Wat doña Itzel in feite wilde zeggen was: Kijk eens kind, je moet goed bedenken dat mijn voorvaderen monumentale piramiden, observatoria en heilige plaatsen hebben gebouwd en veel eerder dan jullie aan astronomie en wiskunde deden, zodat je me niets hoeft te vertellen en al helemaal niet hoe je chocola moet drinken.

Op haar beurt had doña Jesusa, die tamelijk grof in de mond was, haar graag willen zeggen: Hoor eens schoonmama, u zult het wel heel normaal vinden om neer te kijken op eenieder die niet tot uw eigen ras behoort omdat de Maya's klootzakken zijn, echte klootzakken en geboren separatisten, maar ik ben niet van plan deze houding te pikken, als u me zo veracht kom dan niet meer in mijn huis om mijn chocola te drinken.

De spanning liep ten slotte zo hoog op en beiden verdedigden hun standpunt zo hartstochtelijk, dat Júbilo het ergste vreesde. Toen zijn moeder moed verzamelde en tegen hem zei: 'Luister, zoonlief, zeg tegen je grootmoeder dat ik het niet pik dat iemand me in mijn eigen huis komt vertellen hoe ik de dingen moet doen, want ik laat me door niemand commanderen en zeker niet door haar!' kon Júbilo dit alleen maar vertalen als: 'Oma, mijn moeder zegt dat hier in huis geen bevelen worden geaccepteerd... nou ja, alleen die van u.'

Bij het horen van deze woorden veranderde het humeur van doña Itzel op slag. Voor het eerst in haar leven merkte ze dat haar schoondochter de deur voor haar openzette. Doña Jesusa op haar beurt wist niet wat haar overkwam. Dat haar schoonmoeder zo vriendelijk glimlachend zou reageren op zo'n felle aanval had ze nooit verwacht en na de aanvankelijke verwarring glimlachte zij terug en voor het eerst sinds haar huwelijk had ze het gevoel dat haar schoonmoeder haar accepteerde. Met één enkele zin was het Júbilo gelukt beide vrouwen dat te geven waar ze zo naar verlangden: waardering. Vanaf die dag liet doña Itzel zich niet meer in de keuken zien omdat ze er heilig van overtuigd was dat haar bevelen letterlijk werden opgevolgd, en omdat doña Jesusa merkte dat haar schoonmoeder haar manier van leven accepteerde kon ze aardig tegen haar zijn. De hele familie kreeg weer een normaal leven dankzij de bemiddeling van Júbilo, die zeer tevreden was. Hij had de macht van woorden ontdekt en omdat hij van jongs af aan zijn diensten als huisvertaler had bewezen was het geen wonder dat hij in plaats van brandweerman of politieagent telegrafist wilde worden.

Dat idee nam vaste vorm aan toen hij op een middag in zijn hangmat lag te luisteren naar zijn vader naast hem.

Enkele jaren daarvoor was er een einde gekomen aan de Mexicaanse Revolutie, maar nog steeds deden geruchten de ronde over wat er in die woelige jaren was gebeurd. Die middag hadden ze het over de telegrafisten. Júbilo hing aan zijn vaders lippen. Niets was heerlijker dan wakker worden uit de verplichte siësta om naar de verhalen van zijn vader te luisteren.

De tropische hitte dwong de familie siësta te houden in hangmatten die achter het huis hingen, waar wind van zee kwam. Daar tegenover de *K'ak'nab* werd gerust en gepraat. Het geruis van de golven suste Júbilo in een diepe slaap en het zachte gepraat voerde hem, heerlijk schommelend, weer terug. Langzamerhand haalden de woorden hem uit zijn slaap en lieten hem weten dat hij weer thuis was en het tijd werd om zijn fantasie te laten gaan. Hij wreef de tropische slaperigheid uit zijn ogen en ging aandachtig naar zijn vader liggen luisteren.

Die was op dat moment een verhaal aan het vertellen over generaal Villa en zijn korps van telegrafisten. Ze zeggen dat het belang dat Villa altijd aan de telecommunicatie had gehecht een van de factoren was die hadden bijgedragen aan zijn succes als militair strateeg. Hij besefte terdege dat het een machtig wapen was en wist er uitstekend gebruik van te maken. Een voorbeeld daarvan was de originele manier waarop hij de telegraaf bij de inname van Ciudad Juárez had benut.

Die grensstad was door zijn ligging een belangrijk en goed bevoorraad bolwerk. Villa wilde niet openlijk strijd met de federalisten leveren en kon daarvoor ook niet de grens overgaan. Hij besloot een kolentrein, die van Chihuahua naar Ciudad Juárez reed, te kapen en die als paard van Troje te gebruiken. Hij liet zijn hele leger in de trein stappen en bij het eerstvolgende station overmeesterden ze de officiële telegrafist en in zijn plaats stuurde de hoofdtelegrafist van Villa een telegram naar de federalisten met de tekst: 'Villa zit ons op de hielen. Wat moeten we doen?'

Hij kreeg het volgende antwoord: 'Ga zo snel mogelijk terug naar Ciudad Juárez.' En dat deden ze. In de vroege ochtend kwam de kolentrein in Ciudad Juárez aan. De federalisten lieten hem binnenkomen, maar toen ze doorhadden dat de trein in plaats van met kolen vol zat met gewapende mannen was het al te laat. Villa slaagde er zo in zonder al te veel geweld Ciudad Juárez in te nemen.

Ze zeggen dat een goed verstaander een half woord nodig

heeft. Júbilo hoefde zijn vader alleen maar te horen zeggen: 'Zonder de hulp van zijn telegrafist was het generaal Villa nooit gelukt!' en meteen verscheen de telegrafist, die onbekende held wiens naam niemand kende groot in beeld in zijn gedachten. Als zijn vader bewondering had voor die man wilde hij telegrafist worden! Hij wilde niet langer wedijveren met zijn elf broers en zusters. Ze waren zoveel ouder en hadden al gestudeerd. Als een broer geen advocaat was, was hij arts, als een zus niet fantastisch kon dansen, was ze heel intelligent. Allemaal hadden ze goede eigenschappen, en waren bekwaam en getalenteerd. Júbilo merkte dat zijn vader eigenlijk liever met zijn broers praatte dan met hem, hij vond de moppen die zij vertelden leuker dan die van hem, hij had meer waardering voor hun prestaties dan voor die van hem. Hij voelde zich genegeerd en wilde hoe dan ook opvallen. Hij wilde dolgraag een held in de ogen van zijn vader worden en hoe kon dat beter dan door telegrafist te worden? Júbilo wist dat hij een speciale gave had om te luisteren en berichten door te geven, zodat het hem geen moeite zou kosten. Hij popelde om een van hen te worden.

Wat was daarvoor nodig? Waar ging je studeren en hoe lang? Hij lanceerde de vragen even snel als ze werden beantwoord. Hij raakte helemaal opgewonden toen hij hoorde dat je om telegrafist te worden het morseschrift moest beheersen, een communicatiecode die maar weinigen kenden.

Dat leek helemaal fantastisch! Alleen híj zou de informatie die hij ontving begrijpen en bij het doorseinen kon hij die naar eigen goeddunken vertalen! Hij zag zichzelf al verliefdheden aanwakkeren, huwelijken arrangeren en allerlei ruzies bijleggen. Hij kon ongetwijfeld de beste telegrafist ter wereld worden. Dat voelde hij diep in zijn hart. De manier waarop hij de relatie tussen zijn moeder en grootmoeder had geregeld was het bewijs. Het morseschrift onder de knie krijgen kon heus niet moeilijker zijn. Bovendien beschikte hij over een gave. Hij wist heel goed dat niet iedereen zijn talent had om de echte gevoelens van de mensen te 'horen'. Wat Júbilo op dat moment niet kon vermoeden was dat zijn grootste gave in de loop der jaren zijn grootste ongeluk zou worden, dat het niet zo gunstig zou uitpakken om ontelbare geheimen, begeertes en verlangens te kunnen horen, dat het altijd maar weten wat er in de mensen omgaat hem veel hoofdpijn en teleurstellingen in de liefde zou bezorgen. Maar wie zou tegen Júbilo op dat vreugdevolle, vrolijke moment willen zeggen dat het leven niet gemakkelijk was? Wie had hem kunnen voorspellen dat hij zijn laatste dagen in bed zou doorbrengen, verzwakt, bijna vegeterend en zonder te kunnen communiceren met de anderen? Wie?

'Hallo Jubián, hoe gaat het?'
'Nou, ik...'
'Kom op *compadre*, ik vind dat je er goed uitziet.'
'Nou... ik... niet.'
'Wat is dat nou! Zie ik er niet goed uit?'
'Nee, don Chucho, mijn vader bedoelt dat hij u niet kan zien, niet dat hij u er slecht vindt uitzien, u liet hem niet uitpraten.'
'Sorry, *compadre*, je spreekt ook zo langzaam, ik was je te snel af.'
'Ja, en dat leidt vaak tot misverstanden. Laatst vroeg Aurorita, zijn verpleegster, of hij al naar beneden wilde om te

eten en papa zei ja, maar eerst wilde hij naar het toilet. Aurorita zette hem gelijk in zijn rolstoel, bracht hem naar het toilet, hielp hem overeind en begon de rits van zijn gulp naar beneden te doen. Toen zei papa zachtjes: "Nee, ik wil alleen mijn handen wassen…"

Aurorita barstte in lachen uit en zei: "Maar don Júbilo, waarom liet u me dan de rits naar beneden doen?"

Waarop papa antwoordde: "Nou, omdat ik dacht dat je het goed met me voorhad!"'

'Compadre toch! Je verandert ook niks, hè?'

'Nee! Waarom zou ik?'

'Don Chucho, was papa altijd al zo'n grapjas?'

'Altijd al… nietwaar, Jubián? Ik ken hem niet anders.'

'En hoe oud was u toen u hem leerde kennen?'

'Oei! Dat weet ik niet meer, ik geloof dat je vader een jaar of negen was en ik een jaar of zes. Hij kwam toen net uit Progreso, ik geloof omdat de exportonderneming waar je grootvader werkte gesloten werd; ik weet nog wel heel goed dat ik hem voor het eerst zag, hij kwam net uit het station en stond daar met zijn koffer. Ik herinner me dat zijn korte broek me opviel, hij droeg zo'n matrozenbroekje en, zowaar als ik hier sta, alle jochies uit de buurt begonnen hem uit te lachen…! Of hij soms niet doorhad dat hij niet meer op het strand was! Waar de verkleedpartij was! Je weet hoe kinderen zijn…'

'En wat deed papa?'

'Niets, hij moest ook lachen en zei tegen ons: "Niks verkleedpartij, heeft niemand jullie dan verteld dat ik hier ben aangespoeld? Kijk maar, daar komt de golf!" En wij stommelingen draaiden ons allemaal om en je vader schaterde het uit, vanaf die dag kon ik erg goed met hem opschieten en we werden vrienden. Wij woonden in de Calle de Cedro, jouw vader op nummer 56 en wij ertegenover, zodat we de hele dag samen optrokken. We waren onafscheidelijk. En toen ons gezin naar de Calle de Naranjo verhuisde kwam Júbilo altijd meteen na school naar ons toe. We vonden het heerlijk om op straat te spelen, want toen hoefde je nog niet bang te zijn dat je werd overreden, omdat er maar zo nu en dan een auto langskwam en vrachtwagens al helemaal niet! Het leven was heel anders en de buurt was schitterend, maar moet je nu zien, je kunt 's avonds de straat niet meer op omdat ze je overvallen, zoals mij overkwam en waardoor ik zelfs in het ziekenhuis terechtkwam. Het is zo onveilig dat de apotheek op de hoek, weet je nog Jubián, nu zelfs traliewerk heeft tegen inbraak. Ik weet nog dat toen de familie González boven woonde, je vader en ik 's avonds, als ze gingen slapen, naar boven klommen om te kunnen zien hoe ze zich uitkleedden, je hoort me toch wel, hè Jubián? Ik maak nu even van de gelegenheid gebruik dat je niet kunt praten en geen onderonsjes kunt hebben met je dochter, dat neem je me toch niet kwalijk, hè?'

'Dat… zou ik… wel willen…'

'Daar twijfel ik niet aan, alleen geeft het me wel een rustig gevoel dat je je niet kunt bewegen, vriend; want anders! Wist je dat je vader rake klappen kon uitdelen?'

'Nee.'

'Nee echt, dat kon hij als de beste! Op een dag heeft hij zelfs Chueco López te pakken gehad, een bokser uit onze tijd die achter je moeder aan zat.'

'Echt waar?'

'Ja, we hadden een keer een feestje toen ik nog in de Calle de Naranjo woonde en stonden met z'n drieën op het bal-

kon en daar klimt Chueco zomaar langs een spijl naar boven om met je moeder te kletsen en je vader wordt me toch kwaad, gaat met hem vechten en wint van hem!'
'Maar waarom werd hij kwaad? Was hij al verloofd met mijn moeder?'
'Nee, helemaal niet, ik had ze nog maar net aan elkaar voorgesteld; nee, het probleem was dat Jubián zei dat Chueco grof was geweest tegen je moeder, maar om 't je heel eerlijk te zeggen, Jubián, ik was erbij en heb nooit zoiets als een belediging gehoord...'
'Hij zei het niet... maar dacht het wel!'
'Die Jubián is me er een!'
'Don Chucho, u heeft dus mijn ouders aan elkaar voorgesteld?'
'Ja, en je vader neemt het me nog steeds kwalijk, nietwaar *compadre?*'
'Jaaa...'
'Je zou daar eigenlijk eens mee moeten ophouden, want het is allemaal je eigen schuld; als je die avond die arme Chueco geen pak slaag had gegeven maar hem had aangemoedigd met Lucha te trouwen was het heel anders met je gelopen...'
'Hoe kom je erbij dat... ik dat zou doen... ik adoreerde haar!'
'Die arme Chueco López, zo'n prima kerel, je moet weten dat hij me heeft leren boksen, hij was een goede bokser, hij heeft zelfs in de Arena Mexico en de Arena Libertad gevochten, hij was mijn leermeester. Als jochie werd ik op school altijd ontzettend gepest; toen heb ik hem gevraagd of hij me wilde leren boksen en dat wilde hij wel. In de kelder van zijn huis had hij een zak en een stok en daar kreeg ik mijn eerste

lessen. Kijk, zei hij, het belangrijkste bij het boksen is dat je nooit je ogen dichtdoet, want daar profiteert de ander van en daarom zei ik altijd tegen Jubián: *compadre*, als mijn *comadre* je slaat doe dan nooit je ogen dicht! Maar hij luisterde nooit naar me... maar goed, zo is het nu eenmaal, de arme Chueco is het ook slecht vergaan, hij raakte stevig aan de drank en eindigde zelfs als *jicarero* in een kroeg...'

'Wat is een *jicarero?*'

'Dat is iemand die *pulque** uit een kalebas in het glas schenkt, maar dat deden ze vroeger, nu niet meer. Aan alles komt een eind... kijk, Chueco is al dood en wij gaan ook... daarom probeer ik te genieten van de tijd dat ik nog leef. Ik kegel drie keer in de week, dat vind ik heerlijk, ik speel samen met een aantal dames en heren van over de zestig die nog steeds graag kegelen; eentje is net negentig geworden maar hij blijft spelen, en goed ook, stel je voor, op zijn leeftijd en een bal van vijf kilo vasthouden! Het is alleen vervelend dat we nu al tachtig peso voor de baan moeten betalen en dat is veel geld, want waar moeten we dat vandaan halen met ons pensioentje? Dat redden we niet. Gelukkig ontdekte ik op een dag toen ik in de Calle de Sullivan liep een kegelbaan boven een schoenenwinkel. En daar stonden een meisje en een man te kegelen en ik vroeg of ik ook mocht en ze zeiden dat daar 's morgens gepensioneerden van het ISSTE** kwamen spelen en ik zei dat ik ook gepensioneerd was maar bij sociale zaken en ze zeiden dat het niet uitmaakte, dat ik wel naar binnen mocht. Ze rekenen daar iets van achttien peso voor de baan, maar wij gepensioneerden

* een alcoholische agavedrank [vert.]
** Instituto de Seguridad y Servicio Social de los Trabajadores de Estado/ Sociale verzekering voor rijksambtenaren [vert.]

krijgen hem voor negen en bovendien krijgen we koffie, en omdat ik goed kan opschieten met de eigenaresse van het restaurant geeft ze mij twee of drie kopjes, misschien omdat ik de zak met chocola voor haar draag of zo, daarom is ze aardig tegen me. Ik speel al zo'n dertig jaar en ik ben niet goed en niet slecht, middelmatig, maar dat vind ik niet erg. Mijn gemiddelde ligt tussen de 150 en 160, maar toch ben je niet tevreden en probeer je altijd op de 500 te komen. Twee weken geleden haalde ik 583 in drie beurten! Hoe vind je dat, Jubián? Jubián, wat nou, wil je helemaal niets meer tegen me zeggen?'

'Nee, don Chucho, plotseling doet hij dan zo. Alsof hij moe wordt of zoiets, vooral wanneer we het over mijn moeder hebben.'

'Wel verdorie! Is ze niet bij hem op bezoek geweest?'

'Nee, dat wilde ze niet.'

Dit laatste zeg ik angstig, bijna stiekem. Ik weet dat het gehoor van mijn vader erop is getraind om twee gesprekken tegelijk op te vangen. Zijn blik lijkt verloren in de herinneringen maar ik weet maar al te goed dat het hem er niet van weerhoudt ons gebabbel te volgen. Door zijn jarenlange ervaring als telegrafist kan hij op wonderbaarlijke wijze twee en zelfs drie gesprekken tegelijk volgen.

En ik zou niet graag willen dat hij erachter kwam wat mijn moeder van zijn ziekte vindt. Maar vermoedelijk is hij zelfs van haar laatste gedachte op de hoogte, ook al heeft hij haar al vijftien jaar niet meer gezien.

Welk beeld van mijn moeder zou hij zich herinneren? Dat van toen ze afscheid van elkaar namen? Of van toen hij haar de eerste keer zag? Misschien wel van toen ze op het balkon stond en allerlei verlangens opwekte bij de mannen die de vormen van haar lichaam bewonderden. En mama, welk beeld van mijn vader zou zij zich herinneren? Zou ze zich hem zo ziek kunnen voorstellen? En als ze 's middags naar haar soaps heeft gekeken, zou ze dan aan hem denken? Zo ja, welk beeld zou dan bij haar opkomen? Maar ik vraag me vooral af of ze hem lachend zoals in die goede tijd voor de geest kan halen, toen ze de danzón dansten op het Plaza de Veracruz, toen de magneet uit het noorden de vloed deed opkomen in zijn zeeogen.

II

Danzónmuziek overspoelde het Plaza de Veracruz. De dans-
paren gleden gracieus als zwanen over de dansvloer. Bij iedere pas straalden hun lichamen sensualiteit uit. De zinnelijke
sfeer was om te snijden.

Eén paar onderscheidde zich tussen al die andere, dat van
Júbilo en zijn vrouw. Júbilo droeg een wit linnen pak en Luz
María, zijn vrouw, een organza japon, ook wit. De kleur van
hun kleding stak af tegen hun bruinverbrande huid. Ze gingen al een maand lang elke dag naar het strand en dat was
hun aan te zien. De warmte van de zon die zich in hun lichaam had opgehoopt ademde vuur, passie en wellust uit.

Luz María, beter bekend als Lucha, wiegde lichtjes met haar
heupen en Júbilo, die een gevoelsmens was, versterkte de
beweging met zijn hand en ving een onstuimige, warme,
dartele en losbandige golf op die zijn lichaamstemperatuur
deed stijgen. Júbilo's vingers, gewend om telegrafische berichten met uitzonderlijke snelheid door te geven, leken
onschuldig onder op de rug van zijn vrouw te rusten, maar
werkeloos waren ze niet, ze registreerden voortdurend beweging, koorts en onderhuids verlangen. Als gretige anten-
nes vingen zijn vingertoppen de elektrische impulsen op
die Lucha's hersenen uitzonden, alsof ze hem opdroegen
het ritme van de muziek te volgen. Lucha had geen woorden

nodig om haar man te zeggen hoeveel ze van hem hield en hoe ze naar hem verlangde, want woorden gaan even snel als het verlangen en zijn daardoor overbodig bij het verzenden van een liefdesboodschap. De enige vereiste om ze te kunnen ontvangen is een gevoelig toestel en dat bezat Júbilo, en hóe, hij was ermee geboren, het zat midden in zijn hart. Daar kon hij altijd een willekeurig aantal berichten mee ontvangen die uit een ander hart kwamen, het deed er niet toe of die ander ze kenbaar wilde maken of niet. Júbilo bezat de kunst berichten te onderscheppen voordat ze in woorden waren omgezet.

Die gave had hem vaak in de problemen gebracht, want normaal gesproken onthullen mensen hun ware bedoelingen niet, die verbergen ze voor anderen, ze camoufleren die achter mooie woorden, ze verzwijgen die om de sociale conventies niet te overtreden.

De tegenstelling tussen wensen en woorden veroorzaakt allerlei communicatiestoornissen en zorgt voor de dubbele moraal bij individuen en volken die het een zeggen en het ander doen. En de gewone mensen die over het algemeen afgaan op woorden, raken helemaal in de war wanneer iemands daden in strijd zijn met zijn verklaringen. Ze worden erg onzeker als ze die onwaarheid ontdekken, maar vreemd genoeg worden dezelfde mensen liever bedrogen dan teleurgesteld en ze accepteren eerder een leugen dan Júbilo's beweringen over iemands ware bedoelingen. Voor Júbilo was het normaal dat ze hem een leugenaar noemden als hij de waarheid sprak.

Gelukkig waren op dat moment de elektrische impulsen die door het lichaam van zijn vrouw gingen maar voor één uitleg vatbaar, want ze waren volledig in overeenstemming met wat ze dacht en kwamen helemaal overeen met wat Júbilo wilde. De manier waarop hun lichamen tijdens het dansen het ritme volgden voorspelde het genoegen dat hem thuis te wachten stond.

Ze waren pas zes maanden getrouwd en hadden niets anders gedaan dan elkaar verkennen, kussen en liefhebben in elk klein dorpje waar Júbilo als telegrafist waarnam tijdens de vakantie van de vaste telegrafist. Nu was de mooie stad Veracruz aan de beurt en het verliefde paar was daar erg blij mee.

De benoeming van Júbilo kwam hun goed van pas, vooral Júbilo, die hard aan rust toe was omdat hij door de gebeurtenissen van de laatste maanden doodmoe en uitgeput was. Het zwemmen in zee, het zoute zand, de vislucht en café La Parroquia werkten als de beste medicijn. Veel beter dan de 'Emulsión de Scott' die Lucha hem liet innemen. De meeste baat had hij bij het geluid van de meeuwen, de handwaaiers en het breken van de golven, ze deden hem denken aan zijn gelukkige kinderjaren. Daardoor kreeg hij weer het gevoel dat het leven plezierig was en dat hij niets anders hoefde te doen dan vrijen. Maar eerlijk gezegd moest hij toegeven dat hij hoe dan ook alleen maar aan seks kon denken, of hij nu in Veracruz zat of in Cochin-China. Zelfs op zijn werk.

Tijdens het versturen van telegrafische berichten dacht hij er voortdurend aan hoe zijn vingers de intieme delen van Lucha streelden. Hoe ze met haar clitoris speelden en berichten in morse verstuurden, die hoewel zij die niet begreep wel zo duidelijk waren dat ze er met onstuimige passie op reageerde. Het was een feit dat Júbilo altijd met zijn gedachten bij zijn werk én zijn liefdesactiviteiten was. Hij gaf als reden dat die twee nauw met elkaar verbonden waren. Om te beginnen hadden ze alle twee elektrische stroom nodig om te functioneren. De telegraaf kreeg die van lichtkabels, en in dorpjes waar geen elektriciteit was werkte de telegraaf dankzij glazen bakken van dertig à veertig centimeter hoog en een doorsnede van vijftien centimeter, waarin sulfaatstenen werden gelegd en die daarna met water werden gevuld. Boven in de bak werd een koperen spiraal met twee contacten geplaatst: een voor het water en de ander voor de koperen spiraal. De een positief en de ander negatief. Die bakken functioneerden als batterijen en werden achter elkaar geplaatst tot het benodigde voltage was bereikt.

De vagina functioneerde op dezelfde wijze, was vochtig en had de juiste afmeting zodat als die in aanraking kwam met het mannelijke lid, die verfijnde koperen kabel, alsof er een krachtige elektrische stroom werd opgewekt, net als bij de batterij.

Het voordeel of het nadeel, het is maar hoe je het bekijkt, is dat bij Júbilo de batterij snel leeg was en hij steeds weer de stekker in het stopcontact wilde steken om de batterijen op te laden. Lucha en hij werden vroeg wakker en vrijden met elkaar; dan ging Júbilo naar zijn werk, verzond wat berichten en kwam thuis eten. Na het eten vrijde hij met Lucha en ging weer naar zijn werk. Telegrafeerde nog meer berichten en kwam in de namiddag naar huis. 's Avonds maakten ze een wandelingetje, aten en voor het slapengaan vrijden ze weer met elkaar. Het enige verschil nu ze in Veracruz waren, was dat ze tijd hadden om elke dag naar het strand te gaan. Maar dat was wel zo'n beetje hun leven als pasgetrouwd stel.

Toch was er de laatste tijd iets veranderd. Dat betekende niet dat ze minder vaak de liefde bedreven of dat de zwangerschap van zijn vrouw hun vrijpartijen in de weg stond, maar dat Júbilo voelde dat op de een of andere manier de uitwisseling van energie tussen hen tweeën werd verstoord. Hij kon het niet uitleggen, maar voelde dat Lucha iets voor hem verborg. Een gedachte die ze niet durfde uit te spreken en die Júbilo niet kon thuisbrengen, maar die hij door zijn bloed voelde stromen. Dat is logisch als je bedenkt dat de gedachte een elektrische stroom is die zich verplaatst en dat de beste geleider van elektriciteit water is. Dat element is overvloedig aanwezig in de bloedbaan en daarom was het voor Júbilo helemaal niet moeilijk de gedachten van zijn echtgenote te 'voelen' tijdens de uitwisseling van energie die er tussen hen ontstond als ze seks hadden. De buik van zijn vrouw was zijn stopcontact, zijn elektriciteitsbedrijf, maar dat had onlangs een verandering van voltage ondergaan. Júbilo was wanhopig. Hij vroeg het Lucha maar ze ontkende, en omdat hij niet beschikte over zo'n apparaat als de telegraaf die de gedachte die ze voor hem verzweeg kon opvangen, moest hij ernaar gissen. Natuurlijk had hij in plaats van ernaar te moeten raden het geweldig gevonden die elektrische impulsen in woorden om te zetten. Kon ik de code daarvoor nou maar vinden! Kon ik maar een gedachtedecoder uitvinden!

Volgens hem bestonden gedachten vanaf het moment dat ze opkwamen, ze waren energie die vibreerde en zich geruisloos en onzichtbaar door de ruimte verplaatste tot een ontvangstapparaat ze opving en omzette in schrift of geluid of, waarom niet, beeld. Júbilo was ervan overtuigd dat er eens een apparaat zou worden uitgevonden dat gedachten in beelden kon omzetten. Niets hield dat tegen. Ondertussen zou Júbilo het enige betrouwbare ontvangsysteem dat hij bij de hand had moeten blijven gebruiken en dat was hijzelf. Misschien moest hij alleen zijn waarneming verfijnen om de subtielste golflengten te kunnen ontvangen waardoor hij zijn mogelijkheid met de wereld om hem heen te kunnen communiceren zou kunnen uitbreiden.

Júbilo was er heilig van overtuigd dat alle dingen in het universum een ziel hadden, voelden en dachten. Van de kleinste bloem tot de meest verafgelegen melkweg. Alles bezat een speciale manier van vibreren en van zeggen 'hier ben ik'; daarom kon je beweren dat de sterren spraken, communiceerden, in staat waren signalen te versturen waarin hun intiemste gedachten tot uiting kwamen. De oude Maya's hadden zich verbonden gevoeld met de geest van de zon en geloofden dat als iemand in contact kon komen met de koningsster, het mogelijk was om niet alleen zijn gedachten maar ook zijn verlangens te begrijpen. En Júbilo, als waardig afstammeling van dat geweldige ras, wilde zich graag openstellen, zijn gevoeligheid verhogen tot aan de zon, de sterren en een enkele melkweg en zo een signaal, een bericht, een betekenis, een pulserende trilling proberen op te vangen die tot hem zou spreken.

Wat zou het jammer zijn als niemand die impulsen ontving! Als niemand ze zou begrijpen! Als de signalen die werden uitgezonden door de duisternis der tijden zouden rondwaren!

Niets kon Júbilo zo van zijn stuk brengen als de gedachte aan een onbestelbaar bericht. Hij, die zo'n fantastische vergaarbak was, die was geboren met de gave om iedere soort van communicatie te vertalen, was de wanhoop nabij als een bericht onbeantwoord bleef en onopgemerkt in de ruimte rondzwierf. Als een streling die de huid nooit raakt, als een verse vergeten en versmade vijg die niemand zou nuttigen en verrot in huis blijft liggen. Het allerergste was, dacht Júbilo, dat er enorm veel berichten waren die nooit hun bestemming bereikten en in de ruimte bleven hangen, gedesoriënteerd, zwervend, onbeheerd. Hoeveel van die pulserende, onzichtbare, zwijgzame en geluidloze aanwezigheden draaiden er rond een persoon, een planeet of de zon? Deze simpele gedachte bezorgde Júbilo een schuldgevoel. Ze maakte hem ongelukkig. Alsof hij de verantwoording had om berichten te ontvangen voor al degenen die dat niet konden. Hij zou het fantastisch hebben gevonden om de hele wereld te zeggen dat hij hun signalen ontving, dat hij ze waardeerde, en het allerbelangrijkste, dat ze niet voor niets vibreerden. Met het verstrijken der jaren merkte hij dat de beste manier om iedereen bericht van ontvangst te geven, was om hun intiemste verlangens te vervullen door een eerlijke en dienstbare houding.

Misschien was dit gevoel wel lang geleden ontstaan op de dag dat zijn oma met hem het bos inging en hem naar een geheime plek bracht, nog niet ontdekt door de historici, waar een Maya-stèle stond. In de ogen van een klein kind was de stèle een kolossaal en moeilijk te overzien monument. De aantrekkingskracht was evenredig groot. De in de steen uitgehouwen hiërogliefen fascineerden iedereen die er een blik op wierp. Doña Itzel en Júbilo bleven er lang naar kijken terwijl de grootmoeder een sigaar rookte. Het was zo'n sigaar die ze zelf draaide door de tabak in maïsbladeren te rollen. We hebben het over een compleet maïsblad, dat wil zeggen dat het een duivelsgrote sigaar was, waar doña Itzel lang over deed en al die tijd bleef Júbilo geconcentreerd naar de hiërogliefen kijken.

'Wat staat hier, oma?'

'Dat weet ik niet, jongen, ze vermoeden dat er heel belangrijke data op die stèle staan, maar niemand heeft ze kunnen interpreteren.'

De kleine Júbilo was ontdaan. Als de Maya's de moeite hadden genomen er zo lang over te doen om de data in die steen te graveren, dan was dat omdat ze die echt belangrijk vonden, hoe kon iemand die dan zijn vergeten? Dat kon hij niet geloven.

'Maar oma, is er echt niemand die weet wat die getallen betekenen?'

'Daar gaat het niet om, *Che'ehunche'eh wich*, dat weten we wel, maar we weten niet met welke datum van onze kalender ze overeenkomen, want de Maya's hadden een andere kalender en we missen de sleutel om die te ontcijferen.'

'En wie heeft die?'

'Niemand, die sleutel is tijdens de verovering verloren gegaan. Zoals ik al zei hebben de Spanjaarden veel codices verbrand, zodat we veel dingen van onze voorouders nooit te weten zullen komen.'

Terwijl doña Itzel een flinke trek van haar sigaar nam, kreeg Júbilo tranen in zijn ogen. Hij weigerde te accepteren dat alles verloren was gegaan. Dat kon niet waar zijn. Die steen sprak tegen hem en hoewel hij het niet begreep, was hij er zeker van dat hij het mysterie ervan kon ontcijferen, dat zou hij ten minste gaan proberen.

Hij was dagen bezig de Maya-nummering te leren. Het twintigtalstelsel, van een tot twintig, waarbij punten en strepen werden gebruikt. Vreemd genoeg had hij door deze training jaren later minder moeite met het leren van het morsealfabet. Maar toen wist hij nog niet dat hij telegrafist zou worden en zijn enige zorg was om de sleutel te vinden en de Maya-data te ontcijferen. Hij had doña Itzel geen groter plezier kunnen doen. Ze was trots en gelukkig dat haar kleinzoon helemaal opging in de cultuur van de oude Maya's, sterker nog, ik geloof dat ze daardoor in vrede kon sterven, want ze besefte dat haar erfenis op aarde veilig was gesteld bij een lid van haar familie. Ze wist zeker dat Júbilo zijn Maya-afkomst niet zou vergeten.

Ze stierf rustig, glimlachend. En hoewel Júbilo haar dood zeer betreurde, was hij er toch ook dankbaar voor. De grootmoeder stierf op het juiste ogenblik, voordat de modernisering op ruwe wijze Progreso, haar stad, binnendrong. Het was heel ironisch dat de grootmoeder in een stad genaamd Progreso woonde, want ondanks het feit dat ze een strijdbare vrouw met liberale opvattingen was, stond zij absoluut niet achter de idee van vooruitgang die in die tijd zo'n opgang maakte. Ze accepteerde dat vrouwen rookten en voor hun rechten opkwamen, zozeer dat ze besloot de beweging te steunen die in 1916 in Yucatán de abortuswetgeving eiste, maar ze was pertinent tegen de komst van telegraaf, telefoon, trein en alle moderne ontwikkelingen die er volgens haar alleen maar voor zorgden dat de mensen overstelpt werden met geluid, jachtiger gingen leven en geen oog meer hadden voor hun echte belangen.

In zekere zin beschouwde de grootmoeder de technologische vooruitgang als een lompe erflast van het positivistische gedachtegoed dat zo kenmerkend was voor de groep 'wetenschappers', die vervloekte personages die president

Porfirio Díaz lange tijd aan de macht hielden. Uitgerekend onder zijn dictatuur werd in 1901 het boek *México: su evolución social*, van de positivistische arts Porfirio Parra gepubliceerd en daarin kwam duidelijk naar voren hoe die zo respectabele en verfijnde autoriteiten over de Mexicanen dachten. Kort en bondig brachten ze de inheemse erfenis in diskrediet, er werd in het boek niet over gesproken omdat de indianen voor de komst van de Spanjaarden alleen maar tot twintig konden tellen zonder zich te vergissen en hun rekenkundige kennis hen slechts van nut was geweest bij hun primitieve dagelijkse levensbehoeften, maar nooit als wetenschappelijk instrument.

Volgens Parra ontstond de Mexicaanse wetenschap uit de door de veroveraars ingevoerde wetenschap en niet uit de kennis van de indianen. Het was een bewering vol racistische trekjes, om maar niet te spreken over het aspect van onkunde, en dat was waar doña Itzel zo bang voor was, dat al die vooruitgang op wetenschappelijk gebied een luchtspiegeling werd die een schaduw zou werpen op de strijd die grote Mexicanen zoals José Vasconcelos, Antonio Caso, Diego Rivera, Martín Luis Guzmán en Alfonso Reyes aan het leveren waren. Zij wilden breken met de erfenis die het 'sciëntisme' had achtergelaten, en pleitten voor de beoefening van de 'geest', van de geesteswetenschappen en voor het terugkrijgen van de Mexicaanse realiteit van de indiaan.

Voor haar was het duidelijk dat het belang van de trein niet zat in de mogelijkheid om ergens sneller te komen maar in het waarom. Technologische vooruitgang had geen zin als die niet gepaard ging met een geestelijke ontwikkeling en daarin school volgens haar het gevaar, want als de Mexicanen zich door de Mexicaanse Revolutie niet eens bewuster waren geworden van wat zij waren, hoe zouden ze dan met hun verleden in contact gebracht kunnen worden als ze haastiger gingen leven? Wanneer zouden ze niet meer willen zijn wat ze niet waren?

De grootmoeder stierf zonder het antwoord te hebben gekregen en hoewel Júbilo een tijdlang aangeslagen was door haar overlijden, gaf hij zijn pogingen om het raadsel van de hiërogliefen te ontcijferen niet op. Door het bestuderen van het rekenkundig stelsel ontdekte hij de Maya-kalenders. Met dertien nummers en twintig symbolen vatten de Maya's alle wijsheid samen waartoe hun fantastische astronomen waren gekomen. De Maya's waren zich zeer bewust van het heelal dat hen omringde en de bewegingen van de planeten. Ze konden niet alleen met grote precisie eclipsen voorspellen maar ook de lengte van de baan die de aarde rond de zon maakt, met een verschil van een duizendste decimale punt ten opzichte van de berekeningen van de moderne wetenschap. Hoe is dit te verklaren voor een beschaving die niet over moderne meetapparatuur beschikte? Die niet eens het gebruik van het wiel als transportmiddel had ontdekt? Júbilo kwam tot de conclusie dat dat was omdat ze een uitgebreide verbinding tot stand hadden gebracht met het universum om hen heen. De Maya's gebruikten de term *Kuxán Suum* om te definiëren hoe wij zijn verbonden met de melkweg.

Kuxán Suum wordt vertaald als 'De weg van de hemel die leidt naar de navelstreng van het universum'. Het gaat om een streng die bij ieder mens vanuit de plexus solaris loopt en via de zon uitkomt bij *Hunab-Kú*, gewoonlijk vertaald als 'het begin van het leven voorbij de zon'.

Voor hen was het universum niet opgedeeld, niet in atomen uiteengevallen. Zij geloofden dat lichamen constant met elkaar in verbinding stonden door een paar dunne draden, met andere woorden, dat de melkweg deel uitmaakte van een resonerende matrix, waarin de transmissie van de kennis onmiddellijk tot stand kwam. En de personen die over de benodigde gevoeligheid beschikten om de resonantie van de dingen waar te nemen, konden zich daarmee in verbinding stellen en alle kosmische kennis rechtstreeks ontvangen.

Als de *Kuxán Suum* is verduisterd, is het resultaat natuurlijk dat onze eigen resonantie wordt verminderd en de zon kan dan wel recht tegenover ons staan, maar zegt ons niets.

De melkweg als een klankkast zien was heel interessant. Resoneren betekent opnieuw klinken. En klinken betekent vibreren. Het hele universum pulseert, vibreert en klinkt opnieuw. Waar? In voorwerpen die gemaakt zijn om golven van energie te ontvangen.

Júbilo had ontdekt dat puntvormige voorwerpen gevoeliger waren voor de ontvangst van energie dan ronde; vandaar dat het voor hem volkomen logisch was dat zijn voorvaderen piramiden hadden gebouwd en dat zijn tijdgenoten telegraafpalen hadden neergezet.

Door zijn inzicht in dit fenomeen concludeerde hij dat zijn puntige schedel een machtige antenne vormde, die hem in staat stelde om in verbinding te komen met de kosmos. En zijn rechtopstaande mannelijk lid om in verbinding te komen met de diepste en meest sonore klankkast ter wereld: die van zijn vrouw. Vandaar dat Júbilo er zo bedreven in was om met iedereen een goede verbinding tot stand te brengen, zelfs op afstand. Het frappantst was wel dat hij het ook met voorwerpen deed en zelfs met zoiets abstracts als getallen. De mogelijke verklaring voor dit fenomeen was dat Júbilo, als antenne met een hoge frequentie, niet alleen de subtiele vibraties van alle dingen onderschepte, maar er ook op afstemde.

Met andere woorden, Júbilo legde zich er niet bij neer de vibrerende golven op te vangen, maar hij smolt ermee samen tot het hem lukte op dezelfde toon en dezelfde frequentie te vibreren. Net zoals de snaar van een gitaar dat doet die naar het geluid van een andere snaar luistert die op dezelfde toon is afgestemd. De snaar gaat zonder dat iemand er aankomt, op hetzelfde moment vibreren dat de andere snaar gaat resoneren. Voor Júbilo was resoneren de beste manier om te beantwoorden aan een vibratie die zegt 'hier ben ik'. Het was de manier om te zeggen 'ik ben er ook en ik vibreer met je mee'.

Daarom was het niet verwonderlijk dat Júbilo met getallen kon communiceren. Tijdens de lange periode dat hij het getallenstelsel van de Maya's bestudeerde, had Júbilo ontdekt dat het niet hetzelfde was om het getal vijf of vier te schrijven. En niet omdat ze een verschillende accumulatie van elementen uitbeeldden, maar omdat ze elk een aparte manier van resoneren hadden, net zoals bij muzieknoten het geval is. Júbilo, die heel goed een *do* van een *sol* onderscheidde, kon bij het zien van een dichte brief op tafel precies vaststellen welk getal daarin stond. Vandaar dat hij een buitengewone kaartspeler was, maar vreemd genoeg speelde hij zelden en nooit met vrienden, want hij vond het oneerlijk voordeel te hebben van zijn gave contact te leggen met getallen. De enige keer dat hij een uitzondering maakte was in Huichapan, een dorpje aan de voet van de Sierra de Puebla, toen hij inviel tijdens de vakantie van een telegrafist.

Huichapan was een vredig dorp. Het regende er de hele dag. Alle huizen hadden een groot afdak zodat de mensen over straat konden lopen zonder nat te worden. Dit klimaat droeg bij tot een soort melancholie die dieper doordrong in de botten van de inwoners dan het voortdurende vocht. De plaatsen van samenkomst waren natuurlijk overdekte ruimten, en het café werd het drukst bezocht. In de twee weken dat Júbilo en Lucha in het dorp waren, had Júbilo totaal geen behoefte gevoeld om die populaire gelegenheid te bezoeken. Hij ging in zijn vrije tijd liever in bed stoeien met zijn vrouw. Maar op een middag was een van de trouwste klanten van de telegraaf, een jonge boer genaamd Jesús, gekomen om zijn gebruikelijke telegram te versturen naar Lupita, zijn bruid, die in de stad Puebla woonde.

Lupita en Jesús zouden over twee weken trouwen. De voorbereidingen voor de trouwdag waren in een vergevorderd stadium en Júbilo had al een oneindig aantal telegrammen naar de bruid verstuurd met informatie over de dag en datum van de religieuze ceremonie; over hoeveel bloemen en hoeveel kaarsen er als versiering in de kerk zouden staan, over het aantal kippen dat ze dachten te slachten voor het feestmaal, welnu, Júbilo was zelfs op de hoogte van het aantal kussen dat Jesús Lupita van plan was te geven en het belangrijkste: waar.

Natuurlijk had hij die informatie niet van de bruidegom. Die vertrouwelijke mededeling was door Jesús' hoofd gegaan in het bijzijn van Júbilo en zonder dat het de bedoeling was, had die dat opgevangen terwijl hij toekeek hoe Jesús zijn telegrammen schreef, waardoor hij zonder dat hij het wilde, betrokken was geraakt bij deze liefdesverhouding.

Maar toen hij Jesús die morgen de deur van het telegraafkantoor zag binnenkomen, wist Júbilo dat er iets ergs was gebeurd. Jesús kwam met gebogen hoofd binnen, verdrietig en bedrukt. Het regenwater drupte van de rand van zijn hoed en viel zonder dat Jesús het in de gaten had op de papieren die op de balie lagen. Zo te zien was Jesús zelfs zijn goede manieren vergeten, want hij had er niet aan gedacht zijn hoed af te zetten. Júbilo bracht behoedzaam wat formulieren in veiligheid en schudde het water eraf, terwijl Jesús een telegram probeerde op te stellen dat echter steeds in de prullenbak terechtkwam. Het was Júbilo wel duidelijk dat wat Jesús aan Lupita moest berichten niet prettig was. Met de bedoeling hem te helpen liep Júbilo naar de bruidegom toe, langzamerhand wist hij zijn vertrouwen te winnen en hij kreeg het voor elkaar dat Jesús hem zijn ellende opbiechtte.

Het bleek dat Jesús een verwoed pokerspeler was en gewoonlijk iedere vrijdag in het café ging pokeren. Maar afgelopen vrijdag had hij een rampzalig besluit genomen, hij had zijn speelavond van vrijdag naar zaterdag verschoven omdat het die dag zijn vrijgezellenavond was, met fatale gevolgen. Hij had gespeeld en alles verloren. Alles! De boerderij waar hij met Lupita zou gaan wonen, het geld voor de kerk, het diner, de bruidsjurk en zelfs voor de huwelijksreis waar hij zo naar had uitgekeken!

Onnodig te vermelden dat de man gebroken was. Het ergste van alles was dat zijn fortuin in handen was gevallen van don Pedro, de plaatselijke machthebber; een man die behalve ruw, grof en lelijk ook corrupt, een uitbuiter en een dief was en nog veel meer andere rotstreken uithaalde. Júbilo begreep niet hoe het mogelijk was dat Jesús terwijl hij dat allemaal wist, alles op het spel had gezet. Dat kon hij met de beste wil van de wereld niet begrijpen. Jesús probeerde zich te verontschuldigen door aan te voeren dat hij er niets aan had kunnen doen, dat don Pedro opeens aan de pokertafel was verschenen en had gevraagd of hij mee mocht doen en niemand van het groepje had dat durven weigeren.

Dat was te begrijpen. Maar onbegrijpelijk was waarom Jesús alles had geriskeerd. Júbilo voelde dat er veel meer achter moest zitten. En terwijl Júbilo het heftige betoog van zijn vriend aanhoorde waarin die de schuld van het gebeurde aan te veel alcohol weet, begon Júbilo zich in te leven in het leed van Jesús om achter het antwoord te komen en hij ontdekte dat zijn vriend achter die trieste en glazige blik de ijdele hoop verborg om één keer in zijn leven te winnen van de persoon die zijn familie alles had ontnomen.

Deze conclusie verklaarde inderdaad waarom Jesús zo onzinnig had ingezet. Het was overduidelijk dat zijn daad was ingegeven door een gevoel van machteloosheid. De machteloosheid van verschillende generaties boeren die vreselijk misbruikt waren door grootgrondbezitters. Júbilo leefde zo mee met het verdriet van Jesús, dat hij zelf de belediging, de vernedering en de onmacht voelde. En op datzelfde moment besloot hij het op te nemen voor die arme man die niet wist hoe hij zijn bruid twee weken voor de bruiloft moest vertellen dat alle voorbereidingen voor het aanstaande huwelijk afgezegd dienden te worden. Vooral omdat Lupita met haar familie al over een paar dagen uit Puebla zou vertrekken om op weg te gaan naar Huichapan alwaar de voltallige familie van Jesús reikhalzend naar haar uitkeek.

Hoe moest hij het uitleggen? Hoe kon hij zich verontschuldigen? Hij kon de juiste woorden niet vinden. Júbilo

Laura Esquivel

wist hem ervan te overtuigen dat hij er door zijn verdriet zeker niet op zou komen en zolang zijn hart bedroefd was, zou hij zelfs geen volledige zin kunnen schrijven, zodat hij hem naar huis stuurde en beloofde zelf het bericht op te stellen en te versturen.

En dat deed hij dan ook, natuurlijk niet om de bruiloft af te zeggen, maar om Lupita namens de bruidegom te zeggen hoeveel hij van haar hield. Hij vond het niet nodig haar iets anders te vertellen. Niet op dit moment. Hij had nog veel te doen en dacht dat het probleem van Jesús op te lossen was. Het enige wat hij nodig had was tijd en omdat hij daar gebrek aan had, besloot hij geen minuut meer te verliezen en een plan te bedenken om wraak te nemen.

Als er iets was waar Júbilo niet tegen kon dan was het machtsmisbruik. In de korte tijd dat hij in het dorp woonde, had hij al gehoord van de verschrikkelijke dingen die don Pedro op zijn geweten had. Hoe hij diverse meisjes had ontmaagd, hoe hij zijn arbeiders uitbuitte, hoe hij de boeren bedroog, hoe hij zwendelde bij de hanengevechten, en zoals nu bleek ook bij het pokeren.

Júbilo was zo verontwaardigd dat hij ondanks het feit dat hij de meest vredelievende persoon op aarde was het betreurde dat don Pedro de Mexicaanse Revolutie had overleefd. Het zou mooi zijn geweest als de revolutionairen hadden geprofiteerd van het oproer om hem een kogel door zijn hoofd te jagen! Daar zouden ze de gemeenschap een groot plezier mee hebben gedaan en vooral Jesús een hoop ellende hebben bespaard. Omdat de revolutionairen hun werk niet goed hadden gedaan zat er voor hem niets anders op dan die fout recht te trekken. Hij kon nauwelijks wachten tot het zaterdagavond was om te gaan pokeren in het café.

Precies om acht uur kwam hij binnen en liep regelrecht naar de tafel van don Pedro, bereid om zijn spaarcentjes en zijn maandsalaris in te zetten. Don Pedro verwelkomde hem met open armen, als een vampier een meisje van vijftien. Hij dacht bij Júbilo een goede kans te maken om te winnen. Júbilo had maar een paar rondjes nodig om erachter te komen welke tactiek don Pedro aan de speeltafel hanteerde. Als de eerste kaart die hij kreeg een aas was, waren ze allemaal de pineut. Don Pedro dwong de andere spelers bijna om te passen en je moest wel heel koelbloedig zijn om mee te gaan en de hoge inzet neer te tellen.

Tot overmaat van ramp had don Pedro buiten het feit dat hij goed speelde, ontzettend veel geluk. Als iemand drie gelijke kaarten had, had hij ze van een hogere waarde. Als iemand een straight had, overtroefde hij die met een flush. En de weinige keren dat hij geen goede kaarten had, paste hij de oude truc van het bluffen toe, dat wil zeggen dat hij heel hoog inzette zodat de andere spelers dachten dat hij een goede kaart had. En hoewel ze allemaal twijfelden aan zijn eerlijkheid, betaalde niemand om zijn kaarten te zien. Ze verkeerden liever in onzekerheid dan geen geld op zak te hebben. Het kostte heel veel moeite om erachter te komen hoe don Pedro speelde en de illusie hem te kloppen was niet voldoende aanleiding om een grote som geld op tafel te leggen, want wat er op het spel stond als er ingezet moest worden was het persoonlijke vermogen, hoe bescheiden dan ook.

Don Pedro hield niet van verliezen en daarom bediende hij zich van een hele serie intimidatietechnieken om maar te winnen. Hij gebruikte ze allemaal, afhankelijk van de situatie. Hij kon bijzonder slim iedere beweging van zijn tegenstanders, hoe subtiel en minimaal ook, interpreteren en maakte dan zijn keuze. Als hij ze bijvoorbeeld zag aarzelen voordat ze inzetten, leidde hij daaruit af dat zijn tegenstanders niet eens twee dezelfde kaarten hadden en hij greep zijn kans. Als hij ze daarentegen heel vlot de inzet zag betalen, concludeerde hij dat ze een goede kaart hadden en dat hij beter op zijn hoede kon zijn. Als zijn tegenstander echter niet alleen heel gedecideerd de fiches op tafel legde, maar ook de inzet verhoogde, ging hij niet meer mee en paste. Zo eenvoudig was het. Hij riskeerde nooit iets. Hij maakte zich nooit druk. Hij schatte iedere inzet heel goed in en hij won natuurlijk altijd!

Júbilo liet hem, heel uitgekookt, de eerste spelletjes winnen, ook al had hij betere kaarten. Dat gaf niet, de avond was lang en hij wilde dat don Pedro vertrouwen kreeg. Don Pedro tuinde erin, na een uur spelen was hij er echt van overtuigd dat Júbilo een middelmatig kaartspeler was die hij gemakkelijk aankon. Plotseling begon Júbilo het ritme van het spel te veranderen. Hij greep zijn kans toen César, de apotheker die links naast hem zat, aan de beurt was om te delen. Júbilo was zodoende de eerste die een kaart kreeg en kon uitstekend voorvoelen welke dat zou zijn. Ze zaten te wachten op hun vijfde kaart. Het was de laatste kans voor don Pedro om in te zetten. Iedere speler had vier kaarten op tafel. Drie open en een gedekte. Don Pedro liet een boer, een acht en een drie zien en hield een andere boer gedekt. Júbilo had een negen, een zeven en een koning en hield een andere koning gedekt. Dat betekende dat zijn paar hoger was dan dat van don Pedro, maar dat wist deze niet. Om daarachter te komen verhoogde don Pedro de inzet en hoopte dat Júbilo, als die twee koningen had zou verhogen, maar dat deed Júbilo niet. Als don Pedro wist dat hij twee koningen had zou hij zich waarschijnlijk terugtrekken uit het spel en dat wilde hij in geen geval. Hij was er fel op gebrand hem af te maken en dit was zijn kans. Júbilo ging alleen mee met de inzet en deed dat aarzelend. Dat was voor don Pedro het teken om te veronderstellen dat Júbilo slechts een belachelijk paar negens had.

Don Pedro was gerustgesteld. De inleg die op tafel lag was behoorlijk hoog en die wilde hij meenemen. Voor het ronddelen van de laatste kaart opende don Pedro zijn paar boeren om Júbilo te dwingen zijn paar negens te openen, maar Júbilo hield zijn koning gedekt waardoor César de vijfde kaart open voor hem moest leggen. Júbilo wist zeker dat hij nog een koning zou krijgen en ook dat don Pedro een andere boer zou ontvangen, maar dat zou hem niet redden want drie koningen was hoger dan drie boeren. Toen César de vijfde kaart voor Júbilo liet vallen klonk er een verwonderd geroezemoes aan tafel. De geweldige koning viel als in slowmotion voor de onbewogen blik van don Pedro. Volgens zijn berekeningen wees alles erop dat Júbilo een paar negens verborg en twee koningen open had liggen. En dat zinde hem niets. Júbilo ging er eens goed voor zitten. Don Pedro haalde zijn sigaar uit zijn mond en concentreerde zich op het krijgen van zijn laatste kaart. Omdat zijn andere vier kaarten open lagen, kreeg hij een gedekte. Don Pedro pakte hem langzaam op en bekeek hem rustig. Hij kon een tevreden lachje bijna niet onderdrukken toen hij zag dat hij nog een boer had gekregen. Hij had drie boeren! En dat betekende dat hij al had gewonnen. Op zijn twee koningen moest hij inzetten, maar dat deed hij niet. Hij besloot te passen. Don Pedro kreeg hartkloppingen. Hij dacht dat hij al had gewonnen en zonder erover na te denken zette hij negentig peso in. Daar had Júbilo op gewacht. Rustig betaalde hij de negentig peso en verhoogde de inzet met de laatste twintig peso die hij nog over had, zijn hele kapitaal. Don Pedro dacht dat Júbilo door zijn onervarenheid te veel vertrouwde op zijn twee paren en niet vermoedde dat híj weleens, zoals het geval was, drie boeren kon hebben. Overtuigd van zijn overwinning betaalde hij de inzet en vroeg zuiver voor de vorm: 'Waar moet ik overheen?'

Waarop Júbilo antwoordde: 'Drie koningen.'

Don Pedro kon niet tegen zijn verlies, werd rood van woede en had vanaf dat moment geen medelijden meer met Júbilo. Hij gebruikte al zijn kennis en al zijn trucjes om met hem af te rekenen. Als Júbilo inzette, ging hij niet mee. Wanneer don Pedro daarentegen inzette had Júbilo de pech dat hij goede kaarten had en wel mee moest gaan. En zo pakte hij hem langzamerhand zijn hele winst weer af.

Júbilo begon slecht te spelen, werd nerveus. Hoe hij zich ook concentreerde, hij kon er niet meer achter komen welke kaart hij zou krijgen, laat staan welke don Pedro in zijn hand had. Hij begreep niet wat hem overkwam. Hij was het contact met de getallen kwijt. Hij speelde in het wilde weg. Het zweet stond in zijn handen en hij had een droge mond. In een paar spelletjes verloor hij bijna al het geld dat hij had gewonnen en toen kwam het moment dat hij met zijn allerlaatste geld speelde. Hij had een paar zevens open op tafel liggen. Don Pedro had geen paar zichtbaar. De laatste kaart werd rondgedeeld. Het spel zag er voor Júbilo niet goed uit. Hij had alleen een paar zevens. Hij moest wachten tot don Pedro zijn laatste kaart had gezien en zou inzetten om te weten hoe het afliep. Don Pedro had, ondanks het feit dat hij geen paar had, hogere kaarten dan hij, zodat hij met ieder paar dat hij zou krijgen kon winnen. Don Pedro zei nadat hij zijn kaart had gezien zelfverzekerd: 'Ik zet de rest in.'

Júbilo twijfelde of hij mee zou gaan. Alle andere spelers hadden al gepast, zodat wanneer hij niet zou betalen niemand te weten zou komen wat don Pedro in zijn hand had. Aan de andere kant had don Pedro zijn restant ingezet! Het was overduidelijk dat hij er een eind aan wilde maken, want hij kon wel raden dat het geld dat Júbilo op tafel had liggen alles was wat hij bezat. Júbilo ging koortsachtig alle mogelijkheden om te winnen na. Het was heel goed mogelijk dat don Pedro zat te bluffen, maar de enige manier om daarachter te komen was inzetten, want hij leek zijn gave te zijn verloren om intensief in contact te komen met mensen en dingen. Dus betaalde hij de inzet, om met pijn in zijn hart tot de ontdekking te komen dat don Pedro een paar boeren had. Júbilo voelde de koude rillingen over zijn hele lijf gaan. Hij had alles verloren. ALLES. Hij had niets meer om in te zetten. Terwijl don Pedro met zijn sigaar in de mond zijn fiches verzamelde, zei hij: 'Nou vriend, hartelijk bedankt. Ik geloof dat je niets meer in te zetten hebt, hè?'

'Nee...'

'En hoe zit het dan met die Packard van je? Wil je daar niet om spelen?'

Júbilo was als verlamd. Lucha en hij waren inderdaad in een auto van het merk Packard naar het dorp gekomen, maar geen haar op zijn hoofd had eraan gedacht om die in te zetten, want hij was niet echt van hem. Het was een huwelijkscadeau geweest van zijn schoonouders. Lucha kwam uit een bijzonder welgestelde familie en het geschenk was bedoeld, behalve als een duidelijk teken van genegenheid, om de reis die zij naast haar echtgenoot door 'smerige dorpen' moest ondernemen, aangenamer te maken voor 'hun lieveling'. De auto was zo'n 360 000 peso waard.

Zonder er lang over na te denken zei Júbilo: 'Om de auto.'

Don Pedro lachte. Vanaf het moment dat hij Júbilo in gezelschap van zijn mooie echtgenote het dorp had zien binnenkomen werd hij verteerd door jaloezie. Zowel vanwege de auto als vanwege zijn vrouw. Hij wilde ze allebei wel hebben en vond dat Júbilo ze niet verdiende. En nu kreeg hij de gelegenheid een van die twee in de wacht te slepen.

Snel begon hij de kaarten te schudden, maar Júbilo hield hem tegen: 'Maar ik wil niet pokeren. Ik speel om de waarde van de auto en alles wat op tafel ligt, maar alleen als Kid Azteca wint die op dit ogenblik in Mexico-stad meedoet aan de wereldkampioenschappen middengewicht.'

Don Pedro vond het een verleidelijk aanbod, maar dit ging buiten zijn macht. Zijn listen zouden het eindresultaat niet kunnen beïnvloeden. Dat deed het lot. Maar omdat het geluk met hem was en hij deze avond meer had gewonnen dan ooit aarzelde hij niet en ging meteen akkoord met de weddenschap. Het grote probleem was dat de wedstrijd niet op de radio werd uitgezonden en dat de enige manier om achter de uitslag te komen was om tot de volgende dag te wachten wanneer de kranten in het dorp kwamen. Omdat het al laat was en het over een paar uur dag werd, stelde Júbilo voor om het geld op tafel te tellen, dat trouwens een fortuin bleek te zijn, en dat ze met z'n allen naar het station zouden gaan om op de kranten te wachten. Dan zouden ze te weten komen wie er had gewonnen, de winnaar het geld overhandigen, en dat was dat.

Alle aanwezigen, don Pedro incluis, stemden graag met het voorstel in en gingen gezamenlijk naar het spoorweg-

station. Het groepje was zichtbaar enthousiast over de on-
gebruikelijke weddenschap en leverde allerlei commentaar,
van complimentjes tot voorspellingen. Er was niemand die
niet hoopte dat Júbilo zou winnen, want de meesten hadden een hartgrondige hekel aan don Pedro en zij die dat nog
niet hadden zaten er dicht tegenaan. Júbilo zei liever niets.
Hij had zich afgezonderd van de groep en stond rustig te roken. Hij staarde voor zich uit met zijn handen in zijn zak-
ken. Zijn speelvrienden respecteerden zijn recht op afzon-
dering. Ze veronderstelden dat de onzekerheid hem parten
speelde. Het zou nooit bij hen zijn opgekomen dat Júbilo zo
gespannen was omdat zijn geweten knaagde.

Chucho, zijn beste jeugdvriend en collega-telegrafist, die
in Mexico-stad woonde en een boksliefhebber was, had de
bokswedstrijd bijgewoond en Júbilo via de telegraaf op de
hoogte gebracht van de uitslag, voordat die naar het café
was gegaan om te pokeren. Júbilo wist al voordat hij de weddenschap aanging wie de wedstrijd had gewonnen. Hij had
op zeker gespeeld. En nu werd hij gekweld door schuld. Niet
omdat don Pedro geen koekje van eigen deeg verdiende,
maar omdat hij gebroken had met het beroepsgeheim dat
de telegrafisten moeten eerbiedigen. Zijn enige troost was
dat hij wist dat Lupita en Jesús het geld voor hun bruiloft
zouden hebben en dat Lucha, zijn lieve vrouw, hem alleen
maar kon verwijten dat hij te laat thuiskwam, maar niet het
verlies van de Packard.

Door zijn neerslachtigheid kon hij niet genieten van de
vrolijke uitroepen, de felicitaties en de omhelzingen van iedereen. Het enthousiasme was zo groot dat ze hem bijna op
de schouders hadden genomen. Er was er maar een die helemaal niet blij was met zijn overwinning en dat was don

Pedro. Zodra hij de krant had gelezen, draaide hij zich om en liep scheldend weg.

Hij kon niet tegen zijn verlies. Hij heeft dat nooit gekund en het is moeilijk om dat op je vijftigste nog te leren. Hij zwoor dat hij het Júbilo eens betaald zou zetten.

De blik die hij op Júbilo wierp voordat hij het station uitliep, maakte hem duidelijk dat hij een vijand voor het leven had. Het kon Júbilo niet schelen. Hij wist dat hij over twee weken overgeplaatst zou worden naar Pátzcuaro en geloofde niet dat hij don Pedro ooit nog zou tegenkomen. Júbilo wist niet dat het lot andere plannen voor hen beiden in petto had. Maar op dat moment verlangde hij er alleen maar naar om in de armen van Lucha te liggen. Hij was aan rust toe. Hij wilde deze nacht vergeten, overgaan tot de orde van de dag, maar het was al te laat. Deze nacht zou een bres in zijn leven slaan.

Hij werd door een paar aanwezigen uitgenodigd om een biertje te drinken op de markt om zijn overwinning te vieren, maar Júbilo had nergens zin in, hij verontschuldigde zich zo vriendelijk mogelijk en maakte rechtsomkeert. Wat was er te vieren? Hij voelde zich immers een groot verliezer.

Hij was zijn contact met de getallen kwijt. Hij was mislukt als ontvangstantenne. Hij had het beroep van telegrafist te schande gemaakt. Alles wat hij in zijn hele leven had bereikt. Nu verwarmde zelfs de zon hem niet. En dat was geen metafoor. Een motregentje, de *chipi chipi*, zoals de dorpsbewoners het noemden, viel zachtjes op de straten. Het maakte geen geluid, maar was wel erg onaangenaam. De vochtige omgeving kwam helemaal overeen met de stemming van Júbilo. Hij had pijn in zijn botten en in zijn ziel. En de bewolkte lucht werkte er niet aan mee zijn smart te verlichten. Hij vond het heel vervelend de zon niet te kunnen zien, er niet mee in contact te kunnen komen, niet door zijn stralen te worden verwarmd.

Opeens, alsof de hemel medelijden met hem had, braken de wolken open en lieten de eerste zonnestralen door. Júbilo stond meteen stil om te genieten van het mooie begin van de dag. Al jarenlang had hij de gewoonte om de zon te begroeten, als een soort ritueel. Zijn oma had hem geleerd de zon te vereren en hij had die traditie trouw voortgezet, zozeer zelfs dat hij onmogelijk aan het werk kon zonder de zegen van dat hemellichaam.

Júbilo begroette de zon op de gebruikelijke manier met zijn armen omhoog, maar in tegenstelling tot andere gelegenheden kreeg hij dit keer geen antwoord. De zon sprak niet meer met hem. Júbilo dacht dat de zon dat deed om hem een lesje te leren. Nooit had hij zijn gave als bemiddelaar, ontvanger en tussenpersoon mogen gebruiken voor zoiets onbenulligs als een spelletje. Nooit had hij vertrouwelijke informatie mogen gebruiken voor eigenbelang. Toch vond hij de straf die hij kreeg wel wat overdreven. Hij erkende dat hij fout was geweest, maar zo erg was het nou ook weer niet. Het was de eerste keer dat hij de mist inging. Al die protesten en veronderstellingen hadden met schuld te maken, maar niet met de realiteit.

Het was niet waar dat de zon niet meer tot hem sprak en al helemaal niet dat hij hem strafte. Het was gewoon zo dat de aarde te maken had met atmosferische verschijnselen die veroorzaakt werden door de zon en als er zonnevlekken zichtbaar zijn, worden radiosignalen verstoord zodat de ontvangst heel moeilijk is. En in dat jaar, 1937, was de zon volop in beweging en daardoor had Júbilo geen goed contact met hem kunnen hebben. Datzelfde fenomeen verklaarde waarom hij de gedachtegolven van don Pedro tijdens het pokerspel niet had kunnen ontvangen en waarom hij moeite had om Lucha te begrijpen, een vrouw beïnvloed door de aantrekkingskracht uit het noorden, die meer dan wie ook leed onder het verschijnen van de zonnevlekken.

Als hij dat had geweten had hij zich heel wat moeilijkheden kunnen besparen. Dan had hij vooral begrepen dat alleen goede wil niet genoeg is om een goede verbinding met de kosmos tot stand te brengen, dat als er zonnevlekken in het geding zijn er altijd ergens een kink in de kabel is, een afgebroken communicatie, of een of ander zwevend verlangen dat verandert in een onbegrepen meteoriet, omdat er geen contact tot stand gebracht kon worden met de desbetreffende ontvanger.

Jammer genoeg begreep Júbilo dit alles pas veel later, toen hij een cursus voor radiotechnicus bij de Mexicaanse Luchtvaartmaatschappij volgde. Maar gelukkig hoefde hij niet zo lang te wachten om erachter te komen dat zijn gave voor het ontvangen van berichten nog intact was, dat die absoluut niet was aangetast. Hier in Veracruz, bij de zee, bij Lucha, bij zijn Maya-voorouders, werd dat bevestigd. Terwijl hij op het ritme van de danzón danste, had hij een boodschap ontvangen. Die kwam van zijn echtgenote. Die had ze verstuurd via haar bewegende heupen en Júbilo had hem duidelijk doorgekregen. Wat een vreugde wanneer er geen storing in de verbinding kwam! Wanneer één klikje een vonk van begrip in de hersenen veroorzaakte. Die momenten waren alleen maar te vergelijken met die van een orgasme. De heupen van Lucha, die ritmisch en in de maat op de cadans van de kleine trom bewogen, schenen haar

man in morse te zeggen: 'Ik hou van je Júbilo, ik hou van je, ik hou van je…'
Op dat moment was niets belangrijk, was alles volmaakt. De warmte van de tropen, de muziek, de trompetsolo, het kloppen van hun harten en hun verlangens…

'Ik wil…'
'Wat wilt u don Júbilo? Wilt u dat ik uw bloeddruk opneem?'
'Ik wil…'
'Nee? Wilt u dat ik u iets overeind help?'
'Ik wil…'
'Nee? Wilt u dan de steek? O, ik weet het al, u wilt een beetje water!'
'Ik wil… neuken!!!'
'Don Júbilo toch! Wat bent u grof! U kunt beter weer gaan slapen, oogjes dicht, toe maar… Wat? Moet ik de muziek harder zetten?… Vooruit, een klein beetje dan, want anders kunt u straks niet slapen en u weet toch dat uw vrienden morgen op bezoek komen en dan moet u er goed uitzien.'

III

Het maakt me zo wanhopig om tegenover mijn vader te zitten en niet te kunnen begrijpen wat hij zegt. Het is als het kijken naar een Maya-stèle, die een wereld aan kennis in zich bergt maar voor leken niet te ontcijferen is. Het late middaglicht valt over zijn gelaat en laat zijn karakteristieke Maya-trekken duidelijk uitkomen. Zijn naar achteren afgeplatte voorhoofd, zijn haviksneus, zijn teruggetrokken kin.

Zojuist draaide mijn vader zijn gezicht naar het raam alsof hij nergens mee te maken wilde hebben. Ik kan me voorstellen dat het onverdraaglijk voor hem is om niet te kunnen praten. Zijn vrienden zijn net weg en hebben een zuurzoete sfeer achtergelaten. Voor mijn gevoel meer voor mijn vader dan voor mij. Toch zijn die bezoeken een openbaring. Ze laten me een onbekende vader zien. Een heel andere vader dan degene die me leerde fietsen, me leerde lopen, me verhaaltjes vertelde, me bij mijn huiswerk hielp, die me altijd bijstond. Ik ben verbijsterd als ik ontdek wie de man is achter die enorme vaderfiguur. Hij blijkt een vreemde, raadselachtige man te zijn die het grootste deel van zijn werkzame leven bij zijn collega's doorbracht. Een man die dronken kon worden, complimentjes kon maken, soms kon flirten met een secretaresse. Een man die ooit een onschuldig kind was dat graag voetbalde op de Alameda de

Santa María de la Rivera. Een man die toen hij in de puberteit kwam, graag keek hoe zijn buurvrouwen zich uitkleedden. Een man die vaak grappen maakte, at, danste en sere-
nades bracht in gezelschap van deze goede vrienden van wie
wij, zijn kinderen, hem eigenlijk ongewild vervreemdden.
Het is werkelijk ontroerend hoe ze van elkaar houden en elkaar begrijpen, en tijdens hun bezoek voelde ik me soms
een buitenstaander die dat samenzweerderige spel tussen
hen niet begreep. Eén enkele zin was genoeg om te lachen,
om zich een belangrijke anekdote te herinneren en zich innig verbonden te voelen.

Terwijl ze bij ons waren kon ik ze een tijdje observeren
en ik kwam tot de ontdekking dat achter hun grappen en
gelach een groot verdriet schuilging. Ze deden allemaal
enorm hun best het niet te tonen maar het sneed hun duidelijk door de ziel mijn vader in deze toestand te zien. Daarbij bekroop hun ongetwijfeld de angst hetzelfde lot te ondergaan.

Reyes, een van degenen die hem het langst niet hadden
gezien, barstte bijna in huilen uit toen hij hem zag. Hij herinnerde zich mijn vader als een sterke, actieve man en nog
bij zijn volle verstand. Het was een hard gelag hem zo veranderd te zien. Ik kan me voorstellen dat hij moeilijk kon accepteren dat er niets meer over was van Júbilo de sportman
en verhalenverteller. Tegenover hem zat een uitgeteerde
man, gekluisterd aan een rolstoel, die bijna niet kon praten
en volkomen blind was, maar gelukkig wel zijn gevoel voor
humor nog had. Daardoor konden ze allemaal het verdriet
even vergeten en een plezierige middag hebben.

De aanwezigheid van deze geliefde telegrafisten maakte
me duidelijk dat mijn vader mij niet toebehoort. Mijn pa-

pa, mijn lieve papa, is niet alleen van mij. Hij behoort eveneens aan zijn vrienden, de straten in het centrum, de trappen van marmer uit Carrara van het oude telegraafkantoor, het zand op het strand waar hij leerde lopen. Hij behoort ook aan de lucht, zijn favoriete element, dat hij zo vreemd vindt, dat sinds lange tijd niet met de klanken van zijn stem vibreert.

Kort geleden kwamen mijn zoon en schoondochter op bezoek met het voor hun grootvader en mij heugelijke bericht dat Federico en Lorena ouders worden. De glimlach die mijn vader ons schonk bewees wat hij van het bericht vond. Na de omhelzingen en gelukwensen besefte ik verdrietig dat mijn toekomstig kleinkind nooit de stem van mijn vader zou kennen. Het zette me aan het denken over hoe bevoorrecht ik was die te hebben gehoord, te hebben genoten van zijn bemoedigende woorden. Die stem van mijn vader! Op dat moment merkte ik hoe hevig ik daarnaar verlang, hoe erg ik die mis, en dat het mijn verantwoordelijkheid is dat die stem nieuwe generaties bereikt en nooit verloren gaat.

Een paar dagen geleden ben ik door de oude wijk van mijn ouders gaan rondlopen op zoek naar een verdwaalde echo. Ik zocht nummer 56 in de Calle de Naranjo, het eerste huis waar mijn vader woonde na aankomst in Mexico-stad en trof een huis aan dat net zo oud en afgetakeld was als hij. Met een bloedend hart keek ik naar de bouwval. Hoe is het mogelijk dat niemand zich bekommert om het behoud van het nationale erfgoed? Dat het niemand wat kan schelen of de fontein op de Alameda de Santa María, waar mijn vader leerde schaatsen, goed wordt onderhouden? En de Morisco-kiosk waar mijn ouders elkaar de eerste kus gaven? Met

een brok in mijn keel wandelde ik door het Museo del Cho-
po waar ik zo vaak aan de hand van mijn vader had gelopen.
Wat een geluk dat het uit staal, ijzer en glas was opgetrok-
ken, want daardoor had het uitstekend de tand des tijds
doorstaan. Ik weet nog dat daar het Natuur-historisch Museum was gehuisvest met vitrines waarin een schitterende
verzameling aangeklede vlooien te zien was. Wat me het
meest is bijgebleven, behalve het meisje uit Puebla, is het
bruidspaar. De bruid met haar witte jurk, sluier en boeket
bloemen, de bruidegom met zijn zwarte pak en slobkousen,
en om mijn vader aan het lachen te maken zei ik altijd dat
het net mijn ouders op hun trouwdag waren. Ik genoot van
zijn lach die door de hoge glazen ruimte van het museum
schalde.

Daarna ging ik naar het grote huis waarin jarenlang het
Colegio Francés gevestigd was en waar mijn moeder naar
school ging. Ik leunde tegen een boom die aan de overkant
van de straat precies tegenover de ingang staat, net zoals
mijn vader ontelbare keren moet hebben staan wachten tot
de 'mooie stukken' naar buiten kwamen, zoals ze die 'strak-
ke' meiden noemden in hun donkerblauwe uniform met
witte kraag, manchetten, ceintuur en fijn ajourwerk.

Ik weet niet of het heimwee, verdriet of allebei was, maar
op dat moment voelde ik binnen in mij iets resoneren. Ik
weet niet hoe ik het moet uitleggen, maar het had onvermijdelijk te maken met de textuur, klank en mildheid van mijn
vaders stem. Het was een oude, dierbare en bekende stem.
Het was een bijna onhoorbaar gefluister, maar dat troostte
me enorm. Ik voelde me gekoesterd en beschermd zoals
toen mijn vader me als klein meisje 'Chipi-Chipi' noemde
terwijl hij me een nachtkus gaf.

De klok van het Geologisch Museum sloeg zes uur en verbrak de betovering. Ik moest terug naar huis omdat mijn vader iets moest eten. Vlug liep ik naar bakkerij La Rosa die er gelukkig nog is en kocht een paar broodjes. Thuisgekomen maakte ik voor mijn papa chocola met water in een houten mok, zoals zijn grootmoeder het voor hem deed, en tijdens het eten luisterden we naar een plaat van Trio Los Panchos. En plotseling zag ik voor me hoe mijn vader die liedjes zong. Ik weet nog goed dat mijn moeder een keer zei dat mijn vader in een trio zat en hij haar vaak met zijn vrienden een serenade bracht. Ik vraag me af wat er daarna is gebeurd. Waarom heeft mijn vader nooit meer gitaar gespeeld? Waarom heb ik hem nooit liefdesliedjes horen zingen? Ik zal naar zijn zwijgen moeten leren luisteren om daarachter te komen.

Ik merk dat mijn vader afwezig is en in herinneringen verzonken. Hij roept een beeld bij me op dat in mijn geheugen staat gegrift, van de middagen waarop hij een 'cuba' inschonk en met een sigaret in zijn favoriete stoel ging zitten luisteren naar een plaat van Virginia López. Op die momenten wilde ik niet naar hem toe gaan. Het leek me niet zo geschikt. Datzelfde ervaar ik nu. Ik zie in zijn blik dat hij alleen wil zijn. Ik denk dat hij na het bezoek van zijn vrienden wat rust wil. Ik zal hem die gunnen. Ik zal zijn verpleegster zeggen dat ze even niet nodig is.

Ook ik heb behoefte aan alleen zijn. Er maalt steeds iets door mijn hoofd.

Tijdens het bezoek vandaag was er een moment waarop papa zo wanhopig was omdat hij niets kon uitbrengen dat zijn vriend Reyes een 'telegraaf' bedacht zodat mijn vader met hen kon 'spreken'. Die telegraaf was niets anders dan twee lepels op elkaar die als mijn vader erop sloeg, een klank voortbrachten die zijn vrienden de telegrafisten konden interpreteren. Het experiment lukte niet helemaal, maar het werkte en ik zag dat er een mogelijkheid was om mijn vader met ons te laten communiceren, ik zag dat ik via het morsealfabet het raadsel in dat mooie Maya-hoofd kan ontcijferen.

Mama zegt altijd dat er voor alles in dit leven een verklaring is. Ik zou graag willen weten waarom mijn ouders uit elkaar zijn gegaan. Waarom praten ze niet meer met elkaar? Wat wilde mijn vader niet meer zien, zodat hij zelfs blind werd? Wat wilde hij met alle geweld vasthouden, zodat hij zelfs Parkinson kreeg? Waardoor hielden die twee gitaarsnaren op in harmonie te vibreren? Wanneer hielden die twee lichamen op hetzelfde ritme te volgen?

IV

Liefhebben is een werkwoord. Je toont je liefde met handelingen. En een mens voelt zich alleen geliefd als de ander zijn liefde toont met kussen, omhelzingen, liefkozingen en vrijgevigheid. Iemand die liefheeft zal altijd voor het lichamelijke en emotionele welzijn van zijn geliefde zorgen.

Niemand gelooft dat een moeder van haar kind houdt als ze hem niet voedt, verzorgt, dik aankleedt als het koud is, als zij hem niet de mogelijkheden biedt om zich te ontplooien en zelfstandig te worden.

Niemand gelooft dat een man van zijn vrouw houdt als hij in plaats van haar huishoudgeld te geven het verspilt aan drank en hoeren. Dat een man eerst aan de behoeften van zijn familie denkt en dan pas aan die van hemzelf is een daad van liefde. Misschien vinden mannen die dat kunnen opbrengen het daarom zo fijn gewaardeerd te worden en zijn ze zo trots als een pauw wanneer hun echtgenote zegt: 'Lieve schat, wat een prachtige jurk heb je me gegeven.'

Want die woorden bevestigen dat zij de goede jurk hebben weten uit te zoeken, dat ze er het geld voor over hadden en uiteindelijk, dat ze in staat zijn hun partner gelukkig te maken.

Zo blijkt dus dat het werkwoord liefhebben op twee manieren geuit kan worden. Met kussen en liefkozingen of met materiële zaken. Het zorgen voor voedsel, studiekosten, kleren en onderdak wordt ook gezien als een teken van liefde. We zeggen tegen iemand dat we hem waarderen als we hem kussen of als we de schoenen kopen die hij zo hard nodig heeft. En dan hebben de schoenen dezelfde functie als de kus. Zij zijn een bewijs van liefde. Maar ze mogen nooit een substituut worden. Als er geen liefde in het spel is, vormen materiële zaken een soort dwang, corruptie, waar sommigen zich van bedienen in ruil voor gunsten van de ander.

En hoewel de mens niet van brood alleen kan leven, kan hij dat evenmin van louter liefde. En misschien is daarom een verliefd iemand zonder geld zo zielig. Hoe goed een relatie op emotioneel en seksueel gebied ook is, geldgebrek kan zelfs de allergrootste passie langzamerhand aantasten en ondermijnen.

Luz María Lascuráin was als dochter van een welgestelde familie gewend allerlei cadeautjes en attenties te krijgen. Voor Lucha was geen enkel stuk speelgoed, geen enkele jurk en geen enkel gerecht onbereikbaar.

Ze was de jongste van een gezin met veertien broers en zussen en vanzelfsprekend de verwendste van allemaal. Ze kreeg alles wat ze nodig had en je zou kunnen zeggen: meer dan dat.

De familie Lascuráin was altijd heel geliefd, omdat ze als eerste in de buurt telefoon, een fonograaf en later een radio hadden. Lucha's vader, don Carlos, was ervan overtuigd dat geld onmisbaar was om mee te komen met de moderne tijd, om te profiteren van de voordelen die de technologie bood. Nooit keek hij op een cent bij de aanschaf van allerlei apparaten die het huishouden makkelijker en draaglijker maakten, iets waar zijn echtgenote hem altijd dankbaar voor was. Dankzij zijn geld had hij onder andere met zijn gezin van het noorden naar het midden van het land kunnen verhuizen om hen te beschermen tegen de gevaren van de Mexicaanse Revolutie. Toen Lucha nog maar een maand oud was, waren ze naar de hoofdstad verhuisd en ze hadden de jaren van de opstand doorgebracht in het veilige grote herenhuis in Europese stijl dat ze in Santa María la Rivera hadden gekocht. Geld betekende voor de familie Lascuráin dus dat ze hun kinderen zekerheid, rust en de mogelijkheid om zich te ontplooien konden bieden. Het was te begrijpen dat Lucha met zo'n afkomst absoluut geld nodig had om rustig te leven en haar liefde te tonen. Ze groeide op met het besef dat het bezit van kapitaal de garantie was voor familiegeluk.

Júbilo's jeugd was precies het tegengestelde. Bij hem thuis weerhield gebrek aan geld zijn ouders er nooit van hun liefde voor elkaar te tonen en helemaal niet die voor hun kinderen. Ook al hadden ze alleen maar het hoognodige, ze leefden altijd omringd door liefde. Don Librado, die het financieel heel moeilijk kreeg toen de sisalfabriek waar hij directeur van was failliet ging, moest ook zijn geboortegrond verlaten en vestigde zich in de hoofdstad, alleen onder heel andere condities dan de familie Lascuráin. Hun spaargeld was al spoedig op. De kinderen moesten naar staatsscholen en afzien van wat voor luxe dan ook. Vandaar dat don Librado elke aankoop goed overwoog.

Júbilo heeft daar nooit onder geleden, integendeel. Hij was van mening dat het hebben van kleren en meubelen de mens niet gelukkig maar juist tot slaaf van zijn bezittingen maakte. Hij vond dat je goed moest nadenken voordat je iets kocht, want alle aankopen vereisten aandacht en in de loop der tijd werden het tirannen die voortdurende zorg vroegen. Je moest ze schoonmaken, beschermen tegen onwetende vrienden en onderhouden, kortom bezit betekende afhankelijk zijn en hij was te veel op zijn vrijheid gesteld om daarin door aankopen belemmerd te worden. Daarom hield hij er niet van een duur cadeau te geven. Ten eerste omdat het volgens hem geen noodzakelijke voorwaarde was om zijn genegenheid voor een ander te tonen, en ten tweede omdat hij ervan overtuigd was dat hij daarmee iemand ook heel erg belastte, als het tenminste niet om iets vergankelijks als bloemen of chocolaatjes ging.

Naar zijn mening zat de waarde van de dingen niet in hoe duur iets was, maar in wat het betekende voor de gever. Hij hechtte geen enkele waarde aan geld en zou dat nooit gelijk durven stellen aan een bewijs van liefde. Voor Júbilo bijvoorbeeld was een serenade om drie uur 's nachts waardevoller dan het geven van een armband met diamanten. Het eerste betekende dat hij het ervoor over had zijn nachtrust op te offeren, kou te lijden, het risico te lopen overvallen te worden of een bak water van de buren over zich heen te krijgen. En dat was veel meer waard dan geld neertellen. De waarde van dingen was erg relatief. En geld was volgens hem als een grote loep die de waarheid alleen maar vertekende en de dingen een dimensie gaf die ze niet hadden.

Hoeveel was een liefdesbrief waard? In Júbilo's ogen heel veel. En in dat opzicht was hij wel bereid alles te geven wat hij vanbinnen bezat om zijn liefde te laten blijken. En dat zei hij recht uit zijn hart, niet uit opoffering. De liefde was voor hem een vitale kracht, de belangrijkste die hij had gevoeld en beleefd. Alleen wanneer iemand zijn impuls voelde, vergat hij zichzelf om aan de ander te denken en die te willen bereiken, aan te raken en één met haar te worden. En daar was geen geld voor nodig, verlangen was genoeg.

En hij wist beter dan wie ook dat verlangens en woorden hand in hand gingen; dat ze allebei wilden verbinden, communiceren en bruggen tussen elkaar slaan, waarbij het niet uitmaakte of het een geschreven of gesproken woord betrof. Júbilo vond in ieder woord de mogelijkheid om buiten jezelf te treden om een boodschap aan een ander over te brengen. Zijn voorkeur ging natuurlijk uit naar woorden die zweefden, die de ruimte doorkruisten, die ver gingen, tot onvoorstelbare plaatsen. Daarom was hij zo gefascineerd door de radio.

De eerste keer dat hij een stem uit het apparaat hoorde komen, dacht hij dat het toverij was. Het gebeurde bij Fernando thuis, zijn oudste broer, die de radio voor zijn gezin had gekocht. Júbilo was uitgenodigd bij de officiële inwijding van de moderne uitvinding door zijn neefjes, die vreemd genoeg van zijn eigen leeftijd waren. Het was een langwerpig radiotoestel zodat er acht ingangen voor koptelefoons in pasten, want omdat er nog geen luidsprekers waren moest degene die het signaal wilde horen een koptelefoon opzetten en naast de anderen gaan zitten om er ook naar te kunnen luisteren. Zo kwam het dat de acht personen die gingen zitten om tegelijkertijd hetzelfde te horen zich bijzonder verbonden voelden en elkaar samenzweerderig aankeken.

Pas in Mexico-stad kwam Júbilo erachter hoe radio's met luidsprekers werkten. Hij keek met plezier terug op deze ervaring, want het was het hoogtepunt van een heel speciale dag.

Het was in 1923 dat don Librado, zijn vader, besloot hem mee de stad in te nemen om hem te laten zien waar hij van nu af aan zou wonen. Voor Júbilo, die pas was aangekomen, was alles nieuw. Alles vond hij even bijzonder. Vooral om te ontdekken wat eenzaamheid was. Hij miste de warme temperatuur van zijn geboorteplaats heel erg en het gezelschap van zijn neven, de heerlijke maaltijden van het zuidoosten, maar vooral het accent van Yucatán.

In de hoofdstad spraken ze anders. Júbilo voelde zich een vreemdeling in eigen land. Daarom vond hij het heel fijn dat zijn vader hem de gelegenheid gaf zijn nieuwe stad een beetje te leren kennen. Ze huurden een koetsje en gingen met zijn moeder een tochtje maken. Ze waren nog maar net vertrokken of het begon te regenen en dat bleef zo gedurende de hele rit. De koetsier gebruikte het dekzeil dat gewoonlijk de achterkant van het voertuig bedekte om zijn passagiers tegen de regen te beschermen. Júbilo hield het dekzeil met zijn hand omhoog om de stad te kunnen zien. De natte straten verhoogden de schoonheid en de charme van de hoofdstad, die toen nog redelijk klein was. In het oosten liep die tot het San Lázaro-station, dat nu de Kamer van Afgevaardigden is. In het westen ging die tot aan de Consuladorivier, tot Tlaxpana of wat nu bekend is als het Circuito Interior. De grens aan de noordkant was de Alvaradobrug, waar het Buena Vista-station was. En aan de zuidkant eindigde de stad bij het Colonia-station dat nu de Calle de Sullivan is.

Dat was alles. Maar het was meer dan genoeg om Júbilo enthousiast te maken en ervan te verzekeren dat hij wel degelijk ver van de zee kon wonen. Het geratel van de wielen van de koets die over de straatstenen reed was even mooi en herkenbaar als dat voor hem zo vertrouwde geluid van de zee. Bovendien gaf de stad bij wijze van welkom haar mooiste geluiden ten beste. Júbilo ontdekte tot zijn genoegen dat er op straat heel wat gekraak, geroezemoes, gepiep en rumoer te horen was. En tot slot van deze zo speciale middag zat bij thuiskomst Chucho, zijn buurjongen, te wachten om hem ter bevestiging van hun nieuwe vriendschap bij hem thuis uit te nodigen om naar een radioprogramma te luisteren. Daar waren alle vrienden uit de buurt bijeengekomen op die achtste mei in 1923 om naar het eerste concert te luisteren dat in de Republiek werd uitgezonden door het radiostation La Casa del Radio, eigendom van de krant *El Universal Ilustrado.*

Die avond ging er een wereld open voor zijn ogen, of beter gezegd voor zijn oren. Hij vond het ongelofelijk dat de stemmen van de omroepers zo goed te horen waren dat het leek of ze aanwezig waren, erbij zaten, waardoor het afscheid van zijn vrienden, school en familie minder verdrietig was.

Zijn vriendschap met Chucho werd duidelijk hechter en ze brachten samen na het spelen heerlijke middagen door met naar muziek luisteren. Ze werden onafscheidelijke vrienden en Júbilo volgde Chucho waar hij maar heen ging, want de ouders van Chucho schenen gecharmeerd te zijn van verhuizingen. Voor hun plezier verwisselden ze van huis. Bij het minste of geringste. Gelukkig deden zij dat in de buurt, zodat de vriendschap tussen Chucho en Júbilo er niet onder te lijden had, alleen moesten ze het aantal stappen of huizenblokken dat ze van elkaar af woonden aanpassen. Maar niets kon hen scheiden en ze bleven samen naar hun radioprogramma's luisteren.

In de loop der jaren kwam er alleen verandering in het aantal ontmoetingen. Júbilo ging eerder dan Chucho naar de middelbare school en kwam terecht in een wereld vol verplichtingen en huiswerk. Het knikkeren, tollen, ballen en kegelen belandde in de doos met herinneringen. Toch zocht hij zijn vriend ieder weekend op om naar de film te gaan, te fietsen of stiekem te roken. De vakanties bracht Júbilo altijd door bij zijn familie in Yucatán.

Toen hij na een van deze perioden terugkwam bleek dat Chucho weer was verhuisd. Hij besloot hem zo spoedig mogelijk op te zoeken, want hij wilde pronken met zijn beginnende snorretje. Toen hij op weg was naar het nieuwe huis van zijn vriend voelde hij zijn maag samentrekken. Dat was de eerste keer dat hem dat overkwam. Hij begreep niet wat het was. Het deed geen pijn, het trilde alleen maar, alsof er iets ging gebeuren. Het leek een voorgevoel of angst.

Toen hij de hoek omliep zag hij Chucho en ze staken hun hand naar elkaar op. Chucho stond te kletsen met twee vrienden, een jongen en een meisje. Naarmate hij dichterbij kwam, werd zijn angst heviger, hij overwoog rechtsomkeert te maken en weg te rennen, maar dat kon hij niet doen want zijn vriend had hem al gezien, sterker nog, het groepje scheen op hem te wachten.

Zonder dat het er iets mee te maken had, herinnerde hij zich hoe de duiven die onder het dak van zijn huis bivakkeerden op een ochtend waren gevlucht toen ze de lichte aardbeving voelden aankomen die even later Mexico-stad deed schudden.

Voordat hij zijn laatste stappen had gezet, had hij het al door. Tegenover hem stond het mooiste meisje van dertien dat hij ooit had gezien. Chucho stelde zijn nieuwe vrienden

Laura Esquivel

aan elkaar voor, Luz María en Juan Lascuráin en Júbilo. En toen hij haar hand schudde, kromp Júbilo bijna ineen van de maagpijn.

De aanraking van haar huid bracht zijn hoofd helemaal op hol en zou hem voor altijd uit zijn slaap houden. Luz María zei met een glimlach dat ze liever Lucha genoemd wilde worden. Júbilo wilde iets zeggen, maar het kostte hem moeite en toen zijn mond openging sloeg zijn stem over. Ze moesten allemaal lachen om zijn rare stemgeluid. Júbilo kreeg een kleur, maar schaterde het evenals zijn vrienden uit. De reden waarom hij zo lachte kwam niet door het grappige voorvalletje van zo-even, maar omdat hij bijzonder in zijn schik was met dit nieuwe geluid. Het geluid van de liefde.

Het was een gekabbel dat klonk als lachen, als het breken van golven, als het losbarsten van blijdschap vermengd met het geluid van droge bladeren die opwaaien in de wind, kerkmuziek die vibreerde in zijn maag, in zijn haar, over zijn hele huid, en natuurlijk in zijn gehoorcentrum.

Het geluid van de liefde overdonderde hem zo dat hij even helemaal doof was. Tot Lucha, verrukt door zijn lach, hem uitnodigde om bij haar thuis naar de nieuwste plaat van Glenn Miller te komen luisteren. Júbilo nam de uitnodiging direct aan en gezamenlijk liepen ze naar het huis van de familie Lascuráin.

Lucha's huis was een zeer geliefd ontmoetingscentrum. De familie Lascuráin was gezellig, gastvrij en sociaal, de deur van hun huis stond altijd open voor anderen, en voor Júbilo maakten zij geen uitzondering. Hij werd meteen met open armen ontvangen en opgenomen in hun vriendengroep. Júbilo was ze daar diep in zijn hart om verschillende redenen dankbaar voor, een daarvan was dat ze hem de gelegenheid gaven nieuwe vrienden te maken; een andere dat hij naar de radio en de fonograaf kon luisteren, apparaten die ze bij hem thuis niet hadden en de laatste maar belangrijkste reden, dat hij in de buurt van Lucha kon zijn, dat meisje van dertien dat hem vanaf die dag en voor altijd uit zijn slaap zou houden.

Lucha was twee jaar jonger dan hij, maar zoals meestal het geval is ontwikkelder dan Júbilo. Terwijl Júbilo nog maar nauwelijks de baard in de keel had en er een paar armzalige haartjes op zijn bovenlip verschenen, had Lucha al ontwikkelde en aantrekkelijke borstjes en heupen die met de dag voller werden. Júbilo droomde elke nacht van haar en werd 's morgens wakker in een nat bed. Aan haar dacht hij in zijn mooiste erotische dromen. Aan haar dacht hij van de eerste tot de laatste zaadlozing. De hele wereld draaide om Lucha en gaf alles meer kleur en glans.

Even later leerde Júbilo, die in het tweede jaar van de middelbare school zat, tijdens een natuurkundeles dat het magnetisme van de aarde werd veroorzaakt door gesmolten ijzer dat om de aardkern draaide. De leraar had hun uitgelegd dat zowel in het bloed van mensen als van dieren een element, magnetiet geheten, circuleerde waardoor ze de elektromagnetische energie van de aarde konden opvangen. Bij sommige mensen en dieren werkte dit element beter dan bij andere. Dit verklaarde waarom bepaalde dieren de veranderingen konden 'voorvoelen' die in het diepst van de aarde stonden te gebeuren, zoals bij aardbevingen, en wegvluchtten voordat ze getroffen zouden worden.

Júbilo dacht onmiddellijk aan de dag dat hij Lucha leerde kennen. Natuurlijk, zijn eigen magnetiet had zich aangepast aan het magnetische centrum van Lucha en probeerde hem te waarschuwen voor het onheil. Het wilde hem laten weten dat zijn leven in gevaar was, of althans het leven dat hij tot dan toe had geleid. Hem zeggen dat zijn geschiedenis vanaf dat moment uiteenviel in twee delen: voor en na Lucha, want die ontmoeting had zijn leven definitief en voor altijd veranderd.

Júbilo dacht dat het ijzer dat door het bloed van Lucha stroomde wel heel speciaal moest zijn want het veroorzaakte een magnetisme dat erg op dat van de aarde leek, aangezien mannen op het meisje afkwamen als bijen op de honing. En als hun verlangens niet werden beantwoord, bleven ze om haar heen draaien waardoor haar natuurlijk magnetisme alarmerend toenam.

Er was niemand in de buurt die niet haar vriendje wilde zijn, die haar niet graag haar eerste liefdeskus wilde geven, die niet alles met haar wilde delen. Júbilo werd de gelukkige. Een paar maanden nadat ze elkaar hadden leren kennen, had hij haar zijn liefde verklaard tijdens een kerstfeest en tot stomme verbazing van familie en buitenstaanders had Lucha, de onbereikbare, hem haar jawoord gegeven.

De eerste maanden van de verloving had Júbilo zich voorbeeldig gedragen. Hij pakte alleen maar haar hand en gaf haar kleine kusjes op haar mond. Maar geleidelijk aan durfde hij meer.

Lucha kan zich nog heel goed de eerste keer herinneren dat Júbilo zijn tong tussen haar lippen bracht. Het was een wonderlijke sensatie. Ze wist eigenlijk niet of ze het nou prettig had gevonden of niet. Maar de volgende dag had ze hem niet kunnen aankijken zonder te blozen.

Toen volgden de innige omhelzingen met de daarbijbehorende kussen. Naarmate de tijd verstreek en het vertrouwen toenam, om maar niet te spreken van de opwinding, waren ze verder gegaan in hun omhelzingen waarbij hun lichamen dicht tegen elkaar aan kwamen... en hoe. Tot Lucha duidelijk voelde hoe het mannelijk lid van Júbilo hard werd tegen haar schaamheuvel. Vanuit die omhelzingen gleed Júbilo's hand schuchter naar Lucha's rug. En toen begon het moeilijk voor haar te worden.

Lucha was eraan gewend alles te krijgen wat haar hartje begeerde en nu ze ernaar smachtte dat Júbilo niet alleen haar hele rug, maar ook wat lager streelde, moest ze haar verlangen bedwingen het hem te vragen. Dat overkwam haar ook wanneer Júbilo haar hand pakte als ze in de kamer naar muziek zaten te luisteren. Soms raakte Júbilo onbewust met zijn hand even haar benen aan en kreeg Lucha kippenvel. Het wond haar enorm op dat Júbilo weleens haar benen zou kunnen strelen en zijn hand zelfs zo ver als haar intieme delen zou kunnen gaan, maar dat was niet gepast. Het was in ieder geval zo dat Lucha na een bezoekje van Júbilo steeds een nat slipje, rode wangen en een gejaagde ademhaling had.

Met de dag zochten ze wanhopiger naar een gelegenheid om alleen te zijn, maar dat lukte niet altijd want er was steeds wel ergens een bemoeial die hen in de gaten hield, ofwel een van de zes ongetrouwde broers of zussen van Lucha, of haar ouders of het personeel.

Op een dag echter deed zich een uitgelezen kans voor. Een zus van don Carlos was overleden en de hele familie ging naar de begrafenis. Lucha bleef thuis want ze had enorme hoofdpijn. De oorzaak daarvan was niets anders dan het onderdrukte en opgekropte verlangen van al die zeven jaar dat ze verloofd waren. Ze was alleen thuis toen Júbilo zoals gewoonlijk naar haar toe kwam. Ze liepen samen naar de kamer en terwijl ze luisterden naar een plaat van Glenn Miller pakte Lucha Júbilo's hand en legde die zonder omhaal op haar borsten. Júbilo, die zowel verbaasd als verheugd was, ging in op de aantrekkelijke uitnodiging en begon ze met tedere passie te strelen. Die dag begreep Lucha dat het tijd werd met Júbilo te trouwen, want het was ongepast dat een meisje haar verloofde dit soort strelingen toestond. En nu begreep ze waarom. Het was duidelijk dat er vanaf dit moment geen weg terug meer was. De passie zou onherroepelijk toenemen en zij kon het nu al niet meer uithouden. Ze had er genoeg van de lokroep van het verlangen te weerstaan. Aan de andere kant, als ze zich niet kon beheersen in zijn armen, kon ze onmogelijk als maagd het huwelijk ingaan, zoals haar ouders graag wilden.

Lucha vond dat maatschappelijke standpunt volkomen belachelijk. Dat zou dus betekenen dat, als een vrouw haar reinheid tegelijk met haar maagdelijkheid verloor, een penis het meest onreine was dat er bestond en daar was ze het niet mee eens. Jarenlang hadden de nonnen op school haar voorgehouden dat God de mens naar zijn beeld en gelijkenis had geschapen. Dus kon een menselijk lichaamsdeel nooit onrein zijn, want het was van Gods hand.

Bovendien was het een absurde gedachte dat God de mannen handen had gegeven maar dat ze die niet mochten gebruiken, en de vrouwen een clitoris maar dat ze die niet mochten prikkelen. Uiteraard kwam het nooit bij haar op om met dit argument haar ouders te overreden haar met Júbilo te laten trouwen. Nee. Ze gebruikte heel wat andere argumenten tot haar ouders ervan overtuigd waren dat ze smoorverliefd was en zij maar beter met een huwelijk konden instemmen, ook al kon Júbilo haar op zijn tweeëntwintigste geen hoopvolle toekomst bieden.

Lucha had haar zin gekregen, maar nu ze had wat ze wilde merkte ze dat er nog heel wat aan ontbrak. Ze had nooit gedacht dat getrouwd zijn zo moeilijk was en al helemaal met een man zonder geld. Haar ouders hadden haar gewaarschuwd maar wie luistert er nu naar zijn ouders als je zo hartstochtelijk verliefd bent? Niemand toch!

De momenten met Júbilo in bed waren fantastisch maar daarna ging Júbilo naar zijn werk en bleef Lucha alleen achter. Zodra Júbilo de deur achter zich had dichtgetrokken was het stil in huis. Hij nam de lach met zich mee. Lucha had niemand om mee te praten. Ze miste haar familie. Ze miste haar vriendinnen. Ze miste de gezellige drukte van haar ouderlijk huis. Ze miste de kreten van de stadsomroepers. Ze miste het fluitje van de aardappelkar. Ze miste het gezang van de kanaries thuis. Ze miste haar fonograaf. Ze miste haar platen. Had ze maar een radio dan zou ze zich niet zo eenzaam voelen, maar die had ze niet en die zou ze ook niet gauw krijgen, want Júbilo legde iedere cent opzij om ooit een huis te kunnen kopen.

Lucha's heimwee nam met de dag toe. Ze had niemand bij wie ze haar hart kon uitstorten. In de dorpjes waar ze naartoe gingen, was een maand te kort om bevriend te raken met iemand aan wie ze haar problemen kwijt kon. Overigens vond ze de mensen in de provincie erg gesloten en roddelziek. Ze besefte niet dat haar verschijning alleen al opzien baarde. Haar kapsel en manier van kleden, die uit een modetijdschrift leken te komen, waren altijd aanleiding tot geklets als ze voorbijkwam. Maar afgezien daarvan bekritiseerden de mensen graag iedereen die zich anders gedroeg, en zij was het perfecte mikpunt.

Ze was een mooie jonge vrouw, die zich als een filmster kleedde en zelf auto reed! Logisch dat ze de aandacht trok. Hoe dan ook, Lucha voelde zich eenzaam en in Huichapan helemaal. De regen maakte haar vreselijk mistroostig. Ze vond het vreselijk niet met de zon in contact te kunnen komen. Haar moeder had haar als klein meisje al verteld dat de zon kleren reinigde en bleekte. Lucha voelde dat die reinigende werking verder ging. Ze wist zeker dat hij ook de ziel van smetten ontdeed. En bij haar thuis in Mexico-stad, althans vroeger bij haar ouders thuis, had ze altijd in de tuin kunnen zonnen wanneer ze even haar verdriet wilde vergeten.

Voor een meisje dat van jongs af aan was verwend en vertroeteld was het leven met Júbilo vreselijk moeilijk. En niet omdat het haar aan liefde ontbrak of omdat hij niet attent genoeg was, maar omdat het leven als getrouwde vrouw niet aan haar verwachtingen voldeed. Lucha dacht dat ze net als haar moeder dienstmeisjes zou hebben die het hele huishouden op zich namen zodat zij kon pianospelen, vriendinnen ontvangen en winkelen.

Haar ouders hadden haar als een prinsesje opgevoed. Ze had op een meisjesschool gezeten waar ze Engels en Frans had geleerd. Ze kon pianospelen, borduren en keurig de tafel dekken. Ze had cursussen haute cuisine gevolgd, ze kon dus koken, maar op gas en niet op hout. Ze beheerste de Franse keuken, maar niet de Mexicaanse. Van Mexico wist ze eigenlijk weinig en van de keuken nog minder. Voor haar bleef Mexico beperkt tot de hoofdstad of liever gezegd tot haar buurt. Zij dacht dat er overal in de Republiek Mexico

werd gegeten zoals bij haar thuis en dat de restjes in een
koelkast werden bewaard. Het was nooit bij haar opgekomen dat ze eerst de kachel moest aanmaken als ze 's morgens een kopje koffie wilde. Ze wist niet eens hoe dat moest.
Ze had niets aan al die studies. Ze kwam nu pas te weten wat
geen enkele onderwijzer haar ooit had geleerd: om te beginnen dat eten dat niet werd gekoeld bedierf, verrotte en be-
schimmelde. Je moest praktisch zijn om zonder koelkast te
kunnen. Weten wat en hoeveel er gekocht moest worden.
Haar chique opvoeding kwam haar ook niet van pas bij het
doen van de was in de gootsteen. Ze had geen flauw idee hoe
dat moest. Thuis had haar moeder het nieuwste model
trommelwasmachine en ze vond het lastig om met de hand
te wassen. Trouwens, ze had geen enkele geschikte jurk voor
het huishoudelijke werk. Ze voelde zich volkomen mis-
plaatst, als een gringo op de dansvloer.

Maar gelukkig stond Júbilo achter haar. Met hem verdwenen alle problemen als sneeuw voor de zon. Dat onbekende Mexico dook met een lachend gezicht op voor haar
ogen. Samen met hem smaakte het eten van de markt heerlijk en roken zelfs de paardenvijgen zalig. Dankzij Júbilo
leerde Lucha het werkelijke Mexico kennen, dat van de provincie, de armen, de indianen, het vergeten Mexico. Dat
gaandeweg werd bedekt met spoorlijnen en telegraafpalen
die zich als een spinnenweb over het land verspreidden. En
Lucha voelde zich door die geheime kracht achter de vooruitgang net een vlieg die in een web verstrikt dreigt te raken.
De veranderingen die ze meemaakte en zag aankomen ver-
ontrustten haar. Het was allemaal zo nieuw en ze was er
onvoldoende op voorbereid. Haar grootste zorg was het gebrek aan geld. Als ze dat had opgelost was alles veel makke-

lijker. Ze zou een rok en een omslagdoek kunnen kopen zodat ze zich op de markt niet zo'n vreemde eend in de bijt voelde, want door de juten tassen met boodschappen waren al haar zijden kousen al stukgegaan. Voor haar nieuwe leven had ze nieuwe kleren nodig, een nieuw kapsel, nieuwe schoenen maar ze had geen geld. En degene van wie ze nu financieel afhankelijk was evenmin.

Ze wist toen ze trouwde dat ze dat deed met een nog jonge man die niet veel geld had, die nog maar net als telegrafist was begonnen en nog niet in vaste dienst was, maar ze had er nooit bij stilgestaan wat dat allemaal inhield. Ze had alleen zo vlug mogelijk haar maagdelijkheid willen verliezen en daar moest ze nu de consequenties van aanvaarden en ze moest proberen haar leven van verwend meisje te vergeten. Ze kon niet meer op steun rekenen van haar moeder, haar broers en zussen of haar kindermeisje en evenmin op financiële hulp van haar vader. Nu moest ze het alleen zien te redden. 's Morgens het vuur aanmaken, op hout koken, de was op de hand doen, uitkloppen, dweilen, het zonder parfums en haar Colgate-tandpasta stellen en zorgen dat Júbilo haar ontevredenheid niet opmerkte. Dat verdiende hij niet. Hij was goed voor haar en gaf haar alles wat binnen zijn bereik lag, het was niet veel maar het kwam recht uit zijn hart. Ze moest toegeven dat hij er alles aan deed om haar gelukkig te maken en als hij er was miste ze haar buurt, haar vriendenkring, haar feestjes, haar platenspeler en haar radio niet, maar als ze alleen was kwamen de tranen, en vooral wanneer ze het geld voor de dagelijkse boodschappen telde. Om naar de markt te kunnen gaan moest ze haar laatste centen bij elkaar schrapen en ze zo goed mogelijk besteden. Terwijl ze langs de kraampjes liep en rekende, was ze aan het beden-

ken hoe ze een complete maaltijd met zo min mogelijk in-
grediënten kon maken. En als ze dan alles had liep ze terug
naar huis en bedacht verschillende mogelijkheden om ze te
bereiden, maar altijd droomde ze van de dag dat ze geen
geldzorgen meer zou hebben.

De avond dat Júbilo met pokeren had gewonnen dacht
Lucha dat het eindelijk zover was en onmiddellijk kreeg ze
de onbedwingbare neiging om al het geld uit te geven, maar
Júbilo stak daar een stokje voor en dat was de aanleiding tot
hun eerste ruzie. Woedend verweet Lucha haar man dat hij
er geen idee van had wat ze allemaal nodig had en Júbilo
antwoordde dat hij dat juist wel had, en dat hij daarom
beslist al het geld wat ze hadden opzij wilde leggen. Dan
zouden ze binnen niet al te lange tijd een fatsoenlijk huis
kunnen kopen, zo dicht mogelijk bij haar ouders, en kon zij
haar vroegere leven weer oppakken. De een zag een oplossing op korte termijn en de ander op lange termijn. De een
zocht een tijdelijke en de ander een definitieve oplossing
van het probleem. Ten slotte kwamen ze na wat geruzie tot
een compromis. Júbilo vond het goed dat Lucha een rok en
een omslagdoek kocht en Lucha zou niet aan het resterende
geld komen.

Lucha was zielsgelukkig dat ze iets voor zichzelf mocht
kopen. En het was zelfs zo dat de aanschaf van de omslagdoek haar leven veranderde. Ze vond er een die erg praktisch en ook nog mooi was. En vanaf die tijd vormde de omslagdoek een onmisbaar onderdeel van haar kleding.

Lucha liep trots rond met de omslagdoek om haar hals.
Ze voelde zich een andere vrouw. Voor het eerst in haar huwelijk was ze gaan winkelen. Ze was zo opgetogen dat ze op
weg naar huis in een winkeltje kaarsen ging kopen. Op de

toonbank stond een glazen pot met chilipepers in het zuur en een andere met olijven. De geur van de olijven hing in de hele winkel. Lucha kon de verleiding niet weerstaan er een paar te kopen. Opeens kreeg ze er trek in. Ze had in maanden geen olijf gegeten. En nu ze er zo'n zin in had werd het tijd om ze te kopen. Ze bestelde honderd gram. Maar toen ze wilde betalen zag ze dat er niet veel geld meer in haar portemonnee zat. Ze had net genoeg voor de kaarsen maar niet voor de olijven. Lucha probeerde met de centen die ze nog had het bedrag bij elkaar te krijgen en op dat moment kwam don Pedro binnen, die onmiddellijk doorhad hoe pijnlijk de situatie voor Lucha was. Zonder zich te bedenken haalde hij de muntstukken die zij tekortkwam uit zijn zak en legde ze op de toonbank met de woorden: 'Staat u mij alstublieft toe.'

Lucha draaide haar hoofd om en keek recht in dat onaangename gezicht dat zelfs met de beste glimlach niet vriendelijker werd en dat bij niemand minder hoorde dan bij de man van wie haar echtgenoot met pokeren had gewonnen. Lucha schoof rustig maar resoluut de muntstukken terug en antwoordde: 'In geen geval. Heel vriendelijk van u, maar doet u geen moeite, ik kom zo terug om te betalen.'

'Zo'n mooie vrouw als u hoeft toch niet in de regen over straat. Accepteert u alstublieft mijn welgemeende aanbod.'

'Ik zeg u nogmaals dat het heel vriendelijk van u is, maar het is niet nodig, ik kan makkelijk even naar huis want ik ben met de auto en hoef niet door de regen te lopen.'

'Nou, ik vind het hoe dan ook niet nodig u heen en weer te laten rijden. Beledigt u mij alstublieft niet, van drie cent zal ik heus niet wakker liggen. Staat u mij toe iets voor u te doen.'

Don Pedro nam Lucha's rechterhand en drukte er een vluchtige kus op waarmee hij een einde maakte aan het gesprek.

Lucha wist niet wat ze moest doen. Het was overduidelijk dat die man nog nooit een afwijzing had geaccepteerd en omdat ze intussen nog meer trek had gekregen in de olijven zei ze een haastig 'dank u wel', pakte haar spullen en liep de winkel uit met het gevoel dat ze zojuist iets verkeerds had gedaan. De voldane glimlach die op het gezicht van don Pedro te zien was geweest toen ze zijn geld had aangenomen, had haar helemaal niet aangestaan. Wat zat daar achter? Ze wist niet dat don Pedro nu had ontdekt wat de achilleshiel van Júbilo was en waar hij hem kon raken.

De olijven smaakten Lucha niet zo goed als ze had verwacht. Ze was misselijk, draaierig en trillerig. Aan de ene kant had ze het akelige gevoel dat ze iets verkeerd had gedaan en aan de andere kant was ze enorm voldaan dat ze aan haar gril had toegegeven. Het was tegenstrijdig. Ze kon niet thuisbrengen wat er op dat moment in haar omging. Ze schaamde zich, alsof ze Júbilo had bedrogen. Alsof ze Lucifer in hoogsteigen persoon haar huis had binnengelaten. Alsof Júbilo en zij gevaar liepen en hun iets vreselijks en onbekends te wachten stond. Een voorgevoel dat haar verontrustte en beangstigde en misselijk maakte, iets wat haar nooit eerder was overkomen. Het leek een beetje op wat ze had gevoeld toen Júbilo aan haar werd voorgesteld en toch heel anders. Toen had ze die kriebels in haar maag heel plezierig gevonden. Ze was wat trillerig geweest, dat wel, maar dat was meer van genot. Zoals een trom reageert als erop geslagen wordt. Het had zo'n diepe indruk gemaakt dat haar maag een tijdje had nagetrild. Die eerste keer was haar maag afgestemd geweest op de liefdesenergie die Júbilo naar haar had gezonden. Maar nu stemde hij af op iets verborgens, duisters, onbekends en ongewilds, iets wat op de loer lag om haar door elkaar te schudden, haar heftig te laten 'resoneren' en haar in contact te brengen met die zwarte zon, dat duistere licht.

Lucha merkte dat die onbekende energie helemaal bezit van haar nam. Ze kon het onaangename gevoel van don Pedro's lippen op haar hand niet kwijtraken. Ze walgde als ze er weer aan dacht. Die kus gaf haar het gevoel gezondigd te hebben. Alsof ze met die kus voorgoed haar onschuld had verloren. Alsof ze nooit meer dezelfde zou zijn.

Om te kalmeren ging ze naar het telegraafkantoor. Ze wilde Júbilo's vrolijke lach horen. Ze wilde zich rein voelen. Ze wilde die akelige ervaring kwijtraken en dat kon ze alleen maar bij haar man. In zijn gezelschap zag alles er stralend uit.

Júbilo was blij met het onverwachte bezoek. De glimlach op zijn gezicht deed Lucha even haar zorgen vergeten. Júbilo's stralende ogen hadden direct hetzelfde effect als de zonnestralen waarin Lucha zich thuis in de tuin koesterde als haar iets dwarszat. Ze voelde zich weer de oude: rein, zuiver, zorgeloos. Júbilo vroeg haar een paar minuten te wachten tot hij een mevrouw had geholpen. Het was bijna etenstijd en hij wilde samen met haar naar huis. Lucha vond dat een goed idee en liep een paar meter van de balie weg om haar man rustig zijn werk te laten doen.

De vrouw in kwestie was een marktkoopvrouw die in dezelfde pijnlijke situatie verkeerde als Lucha kort daarvoor: ze had niet genoeg geld bij zich voor het telegram dat ze moest versturen. Lucha kreeg tranen in haar ogen en keek naar buiten om Júbilo niets te laten merken.

Maar dat had ze helemaal niet hoeven doen, want haar echtgenoot, voorkomend als altijd, was ingespannen bezig het probleem van de vrouw op te lossen en had alleen maar oog voor wat hij aan het schrijven was. Hij had de markt-koopvrouw voorgesteld hem het telegram anders te laten opstellen, zodat ze het wél kon betalen. De oorspronkelijke tekst luidde: 'Ik weet dat ik uwe genaden geld schuldig bent en niet hebt kunnen betale. Maar toch hebt ik tien kisten to-maten nodig. Stuurt ze asteblief. Zodra ik ze hebt verkocht betaalt ik alles.'

Na Júbilo's ingreep luidde het bericht als volgt: 'Ik kan goede handel doen. Met de verkoop van tien kisten tomaten kan ik u al mijn schulden betalen. Stuur ze zo vlug moge-lijk.'

Het waren negen woorden minder en ondertussen zorg-de Júbilo ervoor dat niet alleen de grammaticale fouten in het telegram werden verbeterd maar ook dat die eenvoudi-ge vrouw inderdaad haar bestelling kreeg.

Helaas kreeg Lucha hierdoor tijd om weer alleen te zijn met haar gedachten en zich kwaad te maken over het voor-val bij de kruidenier. Alles was te wijten aan geldgebrek. Als ze genoeg geld had gehad zou ze niets van don Pedro heb-ben hoeven aannemen.

Geldproblemen zorgden voor allerlei ellende. Nu maakte die vrouw, met wie ze zich helemaal identificeerde, door geldgebrek hetzelfde mee als zij in die kruidenierswinkel. Ze wilde niet weten dat er armoede was, wilde er niets mee te maken hebben. Het maakte haar kwetsbaar en weerloos. Het beangstigde haar afhankelijk te zijn van een man zon-der geld.

De wereld was voor de rijken. Armen waren kansloos. Nu snapte ze ook waarom de Mexicaanse Revolutie was uitgebroken. Arm zijn was verschrikkelijk. En als ze niet samen met Júbilo door de hele Republiek had moeten reizen, had ze nooit geweten onder welke omstandigheden duizenden Mexicanen leefden. Zij kende Europa beter dan haar eigen land en werd pijnlijk getroffen door de troosteloze armoede. Dat er voor een bord soep thuis geld nodig is. Dat er voor het telen van fruit geld nodig is. Dat er voor reizen geld nodig is. Dat er voor het bouwen van een huis geld nodig is. Dat er voor het plaatsen van telegraafpalen geld nodig is. Dat er voor contact met mensen die je dierbaar zijn geld nodig is. En wanneer een vrouw daarvoor afhankelijk was van een ander, had ze nauwelijks iets te vertellen.

Geld is macht. De heren met geld beslisten wat, hoe en hoeveel een boer te eten had. Welke soort maïs hij zaaide. Ja, zelfs op welk tijdstip de kippen hun eieren legden! Ze vond het niet terecht dat er voor het verzenden van een telegram betaald moest worden. Dat er iemand was die het contact tussen de mensen tot stand bracht en dat alleen degene met geld toegang had tot een communicatiemiddel dat van iedereen hoorde te zijn. Dit en nog veel meer zat Lucha dwars, want ze was niet gewend dat iemand haar vertelde wat ze met haar leven moest doen. Ze was dolblij dat Júbilo klaar was met de vrouw en ze naar huis konden gaan.

In Júbilo's nabijheid voelde ze zich meteen beter. Als ze bij hem was, zag ze geen enkel probleem en leek alles opgelost. Júbilo had dat nu eenmaal. Het geldgebrek was meteen niet belangrijk meer. Zij had geen geld nodig om de hand van haar man te strelen, hem in de ogen te kijken, hem hartstochtelijk te kussen en te genieten van zijn erectie. Bij thuiskomst waren ze meteen naar de slaapkamer gegaan om als bezetenen te vrijen. Meer dan ooit genoot ze van de manier waarop Júbilo's penis haar vagina streelde en ze was verbaasd toen Júbilo zich plotseling van haar losmaakte en zei: 'Ik vind dat je anders bent Lucha, je bent jezelf niet...'

Lucha bestierf het bijna van schrik. Ze was ontmaskerd. Hoe wist ze niet, maar ze vermoedde dat Júbilo erachter was gekomen dat ze drie cent van don Pedro had aangenomen. Ze ontweek Júbilo's blik om hem haar verwarring niet te laten blijken en zocht koortsachtig naar een aannemelijk excuus, maar kon alleen maar uitbrengen: 'Anders? Hoezo?'

Júbilo gaf geen antwoord maar was bezig met zijn handpalm haar buik af te tasten. Ineens barstte Júbilo in lachen uit en zijn lach schalde door de hele kamer.

'Je bent zwanger! Mijn schat... je bent zwanger!'

En hij begon haar overal te kussen. Lucha was stomverbaasd. Ze was inderdaad een week over tijd, maar dat was niet zo lang en daarom was die mogelijkheid niet bij haar opgekomen.

'Hoe weet je dat?'

'Dat voelde ik, ik kan het je niet uitleggen, maar je energie is anders.'

Het was de eerste keer dat Lucha iets dergelijks hoorde. Ze wist van de gevoeligheid in Júbilo's handen maar betwijfelde of het wel zoveel voorstelde. Toch geloofde ze hem graag. Het klonk niet zo onzinnig. Als je het goed bekeek kon Júbilo waarschijnlijk de klank opvangen van hoe haar voortplantingsorgaan resoneerde, zoals doktoren de diagnose bij een patiënt konden stellen door een hand op de buik te leggen en er met de andere hand zachtjes op te kloppen tot ze konden horen hoe dat tikken weerkaatste op de interne organen.

Lucha twijfelde geen moment en nam onmiddellijk aan dat ze zwanger was. Ze moest het wel geloven. Daardoor kwam het dat ze zo draaierig en misselijk was geweest toen don Pedro haar hand had gekust. Dat was de enige reden. Als je het zo bekeek was wat ze had gedaan helemaal niet slecht. Toegeven aan een zwangerschapsgril was voor haar voldoende reden, want als ze dat niet had gedaan had ze het risico gelopen een kind met een gezicht als een olijf te krijgen.

Met tranen in haar ogen nestelde ze zich in Júbilo's armen en samen vierden ze dit heugelijke feit niet wetend dat ze tot slachtoffers van rampspoed waren voorbestemd.

V

Don Júbilo werd wakker met een gejaagde ademhaling. De afgelopen dagen had hij een steeds terugkerende nachtmerrie: hij was aan het diepzeeduiken zonder duikuitrusting, maar kon toch ademhalen. Zijn bewegingen waren langzaam en ritmisch. Het water was aangenaam lauw, gekleurde vissen zwommen met hem mee. Hij kon ver zien omdat het helder was. Plotseling hoorde hij het gemompel van stemmen, gevolgd door gelach. De geluiden kwamen van de oppervlakte. Júbilo keek omhoog en zag het felle zonlicht in het water filteren met glinsterende stralen. Toen opeens herkende hij de zee. Het was dezelfde zee waarin hij had leren zwemmen. Hij herkende overduidelijk de zee die altijd op het strand bij het huis van zijn ouders spoelde.

Júbilo was er zeker van. En het gelach dat hij in de verte hoorde was van zijn grootmoeder Itzel, zijn moeder doña Jesusa en zijn vader don Librado. Júbilo wilde naar het groepje toe en met hen meelachen. Hij probeerde te zwemmen om het water uit te komen, maar zijn voeten zaten vast in het zand. Hoe hij het ook probeerde, er zat geen beweging in. Toen begon hij te schreeuwen, maar niemand hoorde hem. De klanken kwamen als luchtbelletjes uit zijn mond, maar aan de oppervlakte barstten ze open zonder dat er enig geluid uitkwam. Júbilo werd wanhopig, ging steeds harder schreeuwen, maar dat werkte averechts. Hij begon water in zijn longen te krijgen, was aan het verdrinken zonder dat iemand hem te hulp schoot.

Gelukkig kwam zijn dochter Lluvia hem toen wakker schudden.

'Papa, je vrienden zijn er. Wat is er? Had je een nachtmerrie?'

Don Júbilo knikte. Sinds een maand kon hij bijna niet meer praten. Hij moest enorme moeite doen om een paar zachte geluidjes uit zijn mond te laten komen, die helaas voor de anderen niet te verstaan waren.

Toen Lluvia naar een oplossing zocht, herinnerde ze zich don Chucho's experiment met de lepels en ze ging onmiddellijk op zoek naar een telegraaftoestel. Allereerst was ze naar een telegraafkantoor gegaan en toen ze ernaar vroeg werd ze bijna uitgelachen.

De telegraaf als zodanig was al jaren geleden verdwenen en niemand wist haar te vertellen waar ze er een zou kunnen krijgen. Ze dacht dat op de vlooienmarkt La Lagunilla misschien wel een werkend toestel te vinden zou zijn, maar na diverse bezoeken bleek van niet. Toen bleven alleen nog maar de antiekwinkels over en ze moest er een aantal aflopen, zowel in de hoofdstad als in de provincie, om er eentje op de kop te tikken.

Toen ze hem eindelijk had, was haar eerste reactie hem aan haar vader te laten zien, maar ze bedwong zich. Ze wilde niets doen wat hem van streek zou maken. Als haar vader het toestel zou zien, zou hij het natuurlijk meteen willen gebruiken en het zou zeer frustrerend voor hem zijn om berichten te versturen die niemand kon ontcijferen. Haar kinderen vertelden haar dat er een programma bestond waarmee informatie in morse van de telegraaf aan de computer doorgegeven kon worden net als met een toetsenbord. Daarna 'vertaalde' het programma de via de telegraaf ontvangen informatie in gesproken tekst, tegelijkertijd verscheen die op het scherm en zodoende zou iedereen kunnen begrijpen wat haar papa 'zei'. Lluvia vond het een geweldig idee en bestelde het programma meteen, maar het duurde ongeveer drie weken voordat het per post werd thuisbezorgd. Om geen tijd te verliezen besloot ze zelf de telegraaf te leren bedienen, of tenminste een basiscursus te volgen zodat ze de eerste woorden die haar papa zou 'uitspreken' zonder het computerprogramma zou kunnen begrijpen. Eerst ging ze om de benodigde kennis op te doen naar don Chucho, de jeugdvriend van haar vader, maar die kon haar jammer genoeg niet helpen omdat zijn vrouw in het ziekenhuis lag vanwege een hersentrombose. Toen belde ze Reyes, de vroegere collega van haar vader om te vragen of hij haar morse wilde leren. Aurorita, de verpleegster, deed ook mee. Zij wilde niet achterblijven. Ze was al zo lang don Júbilo's verpleegster, dat er een bijzonder hechte relatie tussen hen was ontstaan. In de loop der jaren was don Júbilo haar goede vriend, steun en toeverlaat geworden. Door zijn wijze raad had Aurorita geleerd beter om te gaan met haar huwelijksproblemen, erom te lachen en het leven van de positieve kant te bekijken. Ze was don Júbilo daarvoor zo dankbaar dat ze er alles voor over had om iets terug te doen voor de blijken van genegenheid en medeleven waarmee hij haar had overstelpt. Aurorita volgde de lessen met evenveel toewijding en belangstelling als waarmee ze don Júbilo voorlas, met hem wandelde, hem masseerde en hem te eten gaf.

De derde die zich aansloot bij het groepje leerlingen was Natalia, de nachtzuster, die door iedereen liefdevol Nati werd genoemd. Zij verzorgde don Júbilo 's nachts en had evenals Aurorita een heel goede band met hem. Zozeer dat Lluvia 's nachts, hoewel zij met haar deur dicht sliep wel-eens wakker werd van het gelach uit haar vaders kamer. Don Júbilo's grapjes gingen dag en nacht door en Nati re-ageerde er buitengewoon enthousiast op met haar vrolijke lach. Zij was het beste gezelschap tijdens zijn slapeloze nachten. Ze had een groot gevoel voor humor en een aan-geboren hartelijkheid die werkelijk uniek was. Ze was een klein mollig vrouwtje dat don Júbilo als een klein kind be-handelde, dat zij verschoonde, in bad deed, aankleedde en met haar lievelingsbolero's in slaap zong terwijl ze hem moederlijk over zijn hoofd streelde.

Nati en Aurorita vormden een belangrijk onderdeel van don Júbilo's 'vrouwentrio' die zijn opbeurende woorden, zijn goede raad en zijn verhalen waanzinnig misten. Don Júbilo's stembanden, zo gespannen als wat door de medicij-nen om de ziekte van Parkinson onder controle te houden, vormden een paar stevige dwarsliggers die de woorden bin-nen in hem vasthielden. Lluvia, Nati en Aurorita keken ge-spannen uit naar het moment dat die woorden die als een brok in zijn keel bleven steken, bevrijd zouden worden uit hun gevangenis.

De telegraaf dook op als de redder in de nood, de grote bevrijder, de koppelaar van verlangens en genegenheid. En Lluvia, die lang tegen het gebruik van de technologie was geweest kon die nu alleen maar prijzen, want daardoor zou haar vader weer met de wereld kunnen communiceren. Het grote probleem was dat Lluvia niet tot de computergeneratie behoorde. Haar kinderen konden met die dingen overweg, maar zij niet. Ze was eenenvijftig, een sportieve en heel actieve vrouw. Ze voelde zich nog helemaal niet oud, maar toen ze te maken kreeg met de computerwereld, ontdekte ze dat ze behoorde tot de *on-off* generatie, die de apparaten alleen maar aan en uit kon zetten en lichtjaren verwijderd was van de nieuwe generaties. Haar onhandigheid met dit soort ondingen zorgde voor een onoverkomelijke generatiekloof.

Lluvia kon amper een videorecorder bedienen en deed alleen de simpele dingen. Ze kon wel een film bekijken, maar het apparaat niet instellen om een televisieprogramma op te nemen. Het instructieboekje keek ze van haar leven niet in. Om dat te begrijpen moest je volgens haar een Harvard-diploma hebben. Dus als ze een nieuw elektronisch apparaat kocht vroeg ze voor het gemak aan haar kinderen hoe ze het moest bedienen en bewaarde de handleiding in een la. En nu werd er van haar gevraagd om het functioneren van een computer te begrijpen. Ze werd er gek van. Ze begreep er helemaal niets van.

Informatie 'ophalen' en 'binnenhalen' vond ze belachelijk. Waar haalde je dat op en waar haalde je dat binnen? Waar werd het bewaard? Als je informatie binnenhaalde waar bleef die dan? Haar dochter Perla legde haar uit dat als je verbonden was met internet je met een internationaal net van gebruikers in verbinding stond. Dat vond ze wel leuk. Het gevoel dat je via internet verbonden was met de hele wereld was fantastisch.

Internet toonde in de simpele gedachtegang van Lluvia zijn vriendelijkste kant en leek volkomen ongevaarlijk. Natuurlijk durfde Perla noch Federico hun moeder uit te leggen dat bijvoorbeeld de neonazi-beweging het net gebruikte om criminele acties te organiseren en dat iedereen met een paar klikjes voldoende informatie kon krijgen om zelfs een atoombom te fabriceren. Dat had geen zin. Zoals bij alles zijn er mensen die de technologie voor humanitaire doelen gebruiken en anderen die het tegenovergestelde beogen. Maar waarom zouden ze dat vertellen? Hun mama had haar handen al vol met het leren omgaan met de computer en ook nog eens met het morsealfabet.

En als Lluvia het al moeilijk vond, dan die arme Aurorita en Nati helemaal. Zij hadden nog nooit van hun leven met een computer gewerkt en toen ze hun handen op het toetsenbord legden voelden zij zich net zo vreemd als de eerste man op de maan. Maar uit liefde voor don Júbilo zetten zij zich eroverheen en Lluvia stond verbaasd over het leervermogen van deze eenvoudige vrouwen. Perla amuseerde zich kostelijk met hen en vond eigenlijk dat ze meer deden dan nodig was. Ze hoefden alleen maar te weten hoe de computer werkte en dat was dat. Het leren van het morsealfabet vond zij niet echt noodzakelijk. Als de computer vertaalde wat haar opa telegrafisch intikte, waarom zouden ze dan morse leren? Maar don Júbilo's 'vrouwen' beweerden, en terecht, dat ze het deden voor het geval er een stroomstoring optrad of de computer kapotging. Zij wilden absoluut niet afhankelijk zijn van de technologie.

Er werd intensief geoefend. Ze besloten 's avonds bij elkaar te komen, want dan liep Aurorita's dienst af en had ze geen verplichtingen meer. Ze hoopten dat don Júbilo na het eten in slaap zou vallen, zodat zij met de lessen konden beginnen. Don Júbilo had een ziekenhuisbed met spijlen aan de zijkanten die twee functies hadden: het vermijden van ongelukkige valpartijen en het makkelijker kunnen verleggen van de zieke. Lluvia hing de babyfoon die werd gebruikt als haar kleinzoon bij haar bleef slapen aan een van de spijlen en zo konden ze iedere beweging van haar vader horen, hoewel hij meestal ongeveer twee uur in diepe slaap was, zodat zij tijd hadden voor hun telegraaflessen.

De lessen waren extra plezierig door een gezellig achtergrondmuziekje, want don Júbilo luisterde al sinds zijn tienerjaren naar de radio om in slaap te kunnen komen. Zijn lievelingsstation was radio 790 op de middengolf met muziek van vroeger. Dat station zond de beste romantische bolero's aller tijden uit en die waren via de babyfoon naast het bed te horen in de aangrenzende kamer, het 'morseklaslokaal'. Deze situatie vormde voor Lluvia dus de geconditioneerde reflex van naar muziek luisteren en berichten overbrengen.

Om telegrafist te worden had je allereerst een goed geheugen nodig, want de woorden werden letter voor letter verzonden, zodat je ze moest onthouden zoals ze binnenkwamen tot ze een woord vormden. Daarna moest je ze opschrijven terwijl het bericht binnen bleef komen, dus aan de ene kant moest je luisteren, onthouden en vertalen en aan de andere kant opschrijven wat je zojuist had vertaald terwijl tegelijkertijd het bericht binnen bleef stromen. Het was vreemd en moeilijk, want je schreef het oude bericht op, dat al was doorgegeven. Het omzetten van een toon in woorden was erg lastig en vermoeiend voor de oren.

Ze zeggen dat een telegrafist een 'goed schrift' had als hij bij het versturen van een bericht de juiste tonen, heel stipt en heel nauwkeurig doorgaf, zodat het goed te begrijpen was, maar er waren er die een vreselijk 'schrift' hadden en veel te langzaam waren. Dat was zo bij Lluvia, Aurorita en Nati. De enige die een 'goed schrift' had was Reyes, maar dat was natuurlijk logisch want hij was veertig jaar lang telegrafist geweest en hoewel hij er jaren niets meer aan had gedaan, was hij binnen een paar uur alweer helemaal op gang. Don Júbilo's 'vrouwen' daarentegen begrepen er niets van, raakten helemaal in de war door de punten en de strepen, vergisten zich in tonen of vertaalden die verkeerd. Kortom, ze waren hopeloos, maar hun bedoeling was goed, dat zeker.

Om de telegraaf goed te kunnen bedienen hadden ze nog uren, dagen en jaren nodig, maar binnen drie weken hadden ze voldoende geleerd om de eerste woorden van don Júbilo te kunnen begrijpen.

Het was een gedenkwaardig moment. Lluvia had Reyes en don Chucho gevraagd of ze aanwezig wilden zijn. Ook Lolita was uitgenodigd, een dierbare vriendin van allemaal, die haar hele leven als secretaresse op het telegraafkantoor had gewerkt.

Ze waren allemaal keurig op tijd. Thuis zaten Lluvia, haar kinderen Federico en Perla, en de verpleegsters Aurorita en Nati al klaar. Don Júbilo had niets in de gaten. Maar toen hij hoorde dat don Chucho er was vermoedde hij dat er iets bijzonders stond te gebeuren, omdat zijn goede vriend hier bij hém was in plaats van bij zijn echtgenote in het ziekenhuis. Hij had natuurlijk nooit vermoed welke fantastische verrassing hem te wachten stond. Toen Perla, zijn kleindochter, een laptop en een telegraaf op zijn knieën zette klaarde don Júbilo's gezicht op. Niemand van de aanwezigen zou ooit die stralende glimlach op zijn gezicht vergeten toen zijn handen het telegraaftoestel herkenden. Ze hoefden hem niets te vertellen, hij wist waarom ze het hadden gekocht en liet het zich geen twee keer vragen. Schuchter maar resoluut verstuurde hij zijn eerste bericht. Het was voor zijn dochter Lluvia en luidde: 'Dankjewel lieve kind, ik houd van je.'

Lluvia kreeg tranen in haar ogen en pakte onverwacht de telegraaf en antwoordde in morse: 'Ik ook van jou, lieverd.'

Don Júbilo was stomverbaasd. Zijn dochter kende morse! Dat was even een verrassing. En zijn verbazing werd nog groter toen hij merkte dat zijn twee andere 'vrouwen' het ook hadden geleerd. Aurorita en Nati wilden wat zeggen en seinden in morse dat ze veel van hem hielden. Met het geluid van de telegraaf, dat geluid uit duizenden, stroomde het geluk de kamer van don Júbilo binnen. Het was een heel ontroerend moment. Lolita vergoot meer tranen dan toen de telegraaf in 1992 werd afgeschaft. Ze was erbij geweest toen er officieel voorgoed afscheid werd genomen van de telegraaf als communicatiemiddel. De telegrafist die de eer te beurt viel het laatste bericht in het telegraafkantoor te schrijven voegde er *motu proprio* aan toe: 'Vaarwel mijn geliefde morse, vaarwel.' Bij die plechtigheid huilde Lolita van verdriet, nu van vreugde. Toen waren het afscheidstranen voor de telegraaf en nu welkomsttranen.

Federico, die zijn grootvader het beste kende, zag dat hij heel geëmotioneerd was maar het niet wilde laten blijken en daarom doorbrak hij het gevoelige moment door kort maar duidelijk het computerprogramma uit te leggen. Federico en don Júbilo waren erg op elkaar gesteld. De kinderen van Lluvia waren zijn favoriete kleinkinderen, want met de drie kinderen van Raúl had hij weinig contact.

Raúl was al heel jong naar het buitenland vertrokken en kwam alleen tijdens de vakanties van zijn kinderen naar

Mexico en sinds kort zelfs dat niet meer. De jongens waren al getrouwd en hadden vrouw en kinderen. Ze hadden hun leven opgebouwd buiten Mexico en kwamen minder vaak op bezoek dan hun Mexicaanse familieleden graag zouden willen. Don Júbilo onderhield alleen via brieven en telefoontjes contact met die andere helft van zijn familie. Hij had de kinderen van Lluvia daarentegen geboren zien worden, leren lopen, tot vermoeiens toe met ze gespeeld, ze leren fietsen, tollen en kegelen en na Lluvia's scheiding was hij als een tweede vader voor hen geweest. Een begrijpende, liefdevolle vader die ze in hun puberteit had voorgelicht, ze had leren autorijden, die zijn auto uitleende als ze daarom vroegen en ze nooit ongevraagd adviezen gaf, want hij respecteerde zonder meer het karakter en gedrag van zijn kleinkinderen. Het was dus geen wonder dat Perla en Federico hun grootvader adoreerden en dat zijn ziekte hun veel verdriet deed.

Don Júbilo luisterde aandachtig naar zijn kleinzoon, terwijl hij met bevende handen de telegraaf streelde als was die zijn kostbaarste bezit en toen Federico klaar was met zijn gedetailleerde uitleg over de werking van het computerprogramma nam don Júbilo via het toestel opnieuw het woord en zei: 'Hiermee gaat een wereld van mogelijkheden voor me open. Dankjewel allemaal.'

'Wat dankjewel, *compadre*, wij willen verdienen aan de investering van je dochter, we gaan je als schrijver aan het werk zetten op het Plaza de Santo Domingo.'

Don Júbilo schaterde van het lachen zoals Lluvia lang niet meer had gehoord.

'Wist je dat je vader toen hij een tijdje erg krap bij kas zat...'

Don Júbilo kwam tussenbeide door middel van de telegraaf.

'Met andere woorden, altijd!'

'Nee, serieus, hij heeft een tijdje op het Plaza de Santo Domingo gewerkt als schrijver van liefdesbrieven en een succes dat hij had...'

'Ja dat wel, maar alles slijt in het gebruik, toen kon ik nog zien en praten en me bewegen...'

'Nou, je kunt dan wel niet meer zien maar je weet heel goed wat je in handen hebt, kijk alleen maar eens hoe je dat toestel bedient.'

Iedereen moest lachen en stond er versteld van dat don Júbilo terwijl hij vele jaren lang geen telegraaftoestel meer had bediend, zo uitstekend kon communiceren. Zijn vriend Reyes mengde zich in het gesprek.

'Je bent geweldig, man! Zelfs ík zou het zo niet kunnen.'

'Bedoel je met "zelfs ík" dat jíj een betere telegrafist bent dan ik?'

'Laat hem toch kletsen, Jubián! Je weet hoe verwaand hij is, hij vindt zichzelf een hele piet omdat hij de minste medicijnen van ons allemaal slikt.'

'Dat is niet waar, dat doe jíj, Chucho, geef maar toe.'

'Ik? Hoe kom je erbij! Ik heb pillen voor mijn bloeddruk, mijn spijsvertering, mijn hart en mijn astma.'

'Zie je wel! Ik slik er zes. Twee meer dan jij.'

'Maak nou geen ruzie, jongens, ik win het van jullie, zoals altijd.'

'Hoor hem eens! Iedereen zou toch doodziek worden als hij zo door zijn *comadre* was behandeld als jij!'

'Dat is wel zo, jochie, maar ik heb haar zelf gekozen en het met haar uitgehouden. Dat zegt heel wat! Als jij net zo'n moeilijke vrouw had gehad, zou je nu veel meer kwalen hebben dan ik...'

Lluvia, Perla, Federico, Aurorita en Nati lachten niet mee omdat ze het tempo van het telegrafische gesprek nog niet helemaal konden bijhouden. Zij moesten wachten tot het op het scherm verscheen en reageerden dan pas. Maar ze hadden evenveel plezier als de anderen.

Lluvia vond het heerlijk te zien dat haar vader 'praatte', meedeed en weer boeiende anekdotes vertelde. Via de computer kwam ze te weten dat haar vader een keer een grap had uitgehaald met Reyes die er toen bijna in was gebleven.

Jarenlang werkten ze als enigen op het ontvangststation van Petróleos Mexicanos. Don Júbilo had de dagdienst en Reyes de nachtdienst. Het was geen zwaar werk maar wel erg eenzaam. Júbilo miste zijn collega's op het telegraafkantoor. Er was hier niemand om mee te praten of moppen aan te vertellen. Reyes en hij hadden daarom een eigen methode gevonden om toch een beetje plezier te hebben. Ze haalden leuke, vervelende, flauwe, kortom allerlei grappen met elkaar uit, als ze hun werktijd maar zo prettig mogelijk door kwamen.

Op dat ontvangstkantoor kwamen de berichten binnen die vanaf de verschillende boorputten werden verzonden. De ruimte voor de enorme ontvangstapparatuur van de radiosignalen was behoorlijk groot en daardoor koud. Alleen don Júbilo en Reyes zaten er. 's Winters zette Reyes, die slecht tegen de kou kon, meestal een elektrisch kacheltje aan. Júbilo had het voordeel dat de zon overdag naar binnen scheen en hij er zelfs even in kon zitten.

Op een decemberavond, midden in de adventstijd, zette Reyes zoals altijd zijn kacheltje aan. Hij kroop in een luie stoel om op te warmen en even later hoorde hij een paar hevige explosies. Hij sprong op uit zijn stoel met zijn haren rechtop van schrik. Hij dacht dat de hele apparatuur van het ontvangststation de lucht in vloog. Toen hij ging kijken wat er aan de hand was ontdekte hij dat Júbilo een pakje vuurpijlen aan het kacheltje had vastgemaakt en dat de lonten door de hitte hadden vlamgevat.

De volgende dag nam Reyes revanche, en goed ook. Hij belde Lucha op en vroeg of ze wist waar Júbilo uithing want hij was al een week niet op zijn werk verschenen.

Ze moesten zo lachen dat het gesprek even stokte. Ze wisten allemaal hoe driftig doña Lucha kon worden als haar iets niet beviel en konden zich indenken wat don Júbilo te verduren had gekregen. Toen ze waren uitgelachen besloot Lolita een paar grappen vertellen die ze op het telegraafkantoor hadden uitgehaald.

'Weten jullie nog dat ze de bureaula van Chuchito hadden dichtgespijkerd en hij eindeloos aan het trekken was?'

'En toen we de hoorn van don Pedro's telefoon met carbonpapier hadden ingesmeerd?'

Plotseling werd het gelach minder. Don Júbilo's gezicht verstrakte. Lolita gebaarde iedereen zijn mond te houden en Reyes ging meteen op iets anders over.

'Ja, wat een tuig! Ik begrijp niet hoe we durfden, maar het mooiste was toen Lolita een enorme stapel papieren op haar bureau had liggen en ik me vlak bij haar achter een pilaar verschool. Zonder dat ze me zag wuifde ik met een waaier. De papieren vlogen alle kanten op en Lolita stond op om ze op te rapen. Ze keek of het raam goed dicht zat, ging weer aan het werk en ik op dat moment weer waaien…'

'Hé, kerel, wat zeg je daar, dat je die nette Lolita wilde naaien?'

Iedereen moest weer lachen, behalve don Júbilo en dat zag Lluvia. Er was iets gebeurd. Haar vaders humeur was omgeslagen. Voor ze bij de deur afscheid nam van Lolita vroeg ze haar: 'Wie was die don Pedro, Lolita?'

'Een kerel aan wie je vader een hekel had, iedereen van ons eigenlijk. Maar goed liefje, ik ga ervandoor, want het is al laat.'

Lolita hield normaal gesproken van een praatje en bleef altijd voor ze wegging nog een tijdje bij de deur staan kletsen. Ze hield nooit op en nu ze zo overhaast was weggegaan werd Lluvia nog nieuwsgieriger dan ze al was. Als Lolita niet over don Pedro wilde praten zat er beslist iets achter en dat wilde ze dolgraag te weten komen, maar dat kwam later wel, nu had ze vooral behoefte aan een bad en rust. Het was een dag vol emoties geweest.

Water, haar favoriete element, oefende een magische kracht op haar uit. Het ontspande haar onmiddellijk. Liggend in het water kon ze in een paar tellen heerlijk tot rust komen maar deze keer lukte het niet.

Hoe ze zich ook probeerde te concentreren op het stralende gezicht van haar vader toen hij zijn telegraaf kreeg, zijn sombere en bedroefde gezicht zat haar dwars. Die blik had ze tot haar verbazing nog nooit eerder gezien. Alleen op een foto die Lolita 's middags voor haar vader had meegebracht. Een foto van vroeger. Lluvia herkende tussen alle collega's Lolita zonder bril, don Chucho met haar, Reyes nog niet grijs en zonder buikje, haar vader nog kerngezond, en haar moeder pronkend met een mooie zwangere buik. Het was een nietszeggende foto. Haar vader keek triest, hij maakte zich duidelijk ergens zorgen over, had verdriet.

Waarschijnlijk was de foto gemaakt ter gelegenheid van een verjaardag of zo, maar haar lieve papa keek helemaal niet blij, er zat hem iets dwars. Haar moeder, beeldschoon als altijd, stond naast hem en haar vader had zijn arm om haar middel geslagen, en ook al stonden ze dicht naast elkaar toch kon Lluvia zien dat er een verwijdering tussen hen was. Achter op de foto stond wanneer hij was genomen: september 1946. Twee jaar voor haar geboorte.

Zo te zien was haar moeder vijf of zes maanden zwanger. Toen ze op haar vingers de geboortedatum wilde uitrekenen, merkte Lluvia dat ze onbewust steeds seinbewegingen aan het maken was. Ze vond het grappig dat haar handen automatisch aan het oefenen waren. Als ze zo doorging zou ze binnenkort even snel als haar vader berichten kunnen versturen.

Even werden haar gedachten afgeleid, ze keek naar haar handen en dacht na over de verplaatsing van water die haar vingers veroorzaakten. Het viel haar op dat er meer golven ontstonden als ze meer bewoog. Ze concludeerde dat getallen weergaven hoe vaak iets was gebeurd.

Eén kus was bijvoorbeeld niet hetzelfde als duizend kussen, één orgasme niet hetzelfde als vijf. Afhankelijk van het aantal keren dat een gebeurtenis zich had voorgedaan had de ether anders gevibreerd. Als je het zo bekeek vertegenwoordigden getallen niet alleen sommen geld, zoals haar moeder dacht, maar hadden ze een veel diepere betekenis, want ze stonden rechtstreeks in verbinding met de kosmos, en daar verwees je dus naar als je een getal gebruikte. Je kon ze zien als oerbeelden.

Volgens haar was dat met woorden ook het geval. Elk woord resoneerde anders en had daarom een andere weerkaatsing in de ether. Ineens bedacht ze dat er een nauw verband moest bestaan tussen getallen en woorden. Beide stonden waarschijnlijk net zo met elkaar in verbinding als de knoppen van de afstandsbediening met het signaal van de televisie, dat wilde Lluvia uitzoeken.

En ze begon er meteen mee. Eerst gebruikte ze haar vingers om een woord in morse te 'schrijven'. Haar vingertop was de punt en het deel tussen de vingerkootjes de streep en zo veranderde ze woorden in punten en strepen. Vervolgens zette ze die punten en strepen om in overeenkomstige getallen van de Maya-nummering om hun betekenis te achterhalen. Ten slotte merkte ze dat ze de namen van haar vader en moeder had genomen en dat de som van beide getallen overeenkwam met september 1946.

Deze ontdekking bracht haar weer terug bij de foto. Opnieuw zat ze op haar vingers uit te rekenen over hoeveel maanden haar moeder moest bevallen en dat bleek lang voor haar geboortedag te zijn. Ze hadden haar nooit verteld dat er behalve Raúl nog een kind was.

Wat was er aan de hand?

Ze besefte dat de gezondheidstoestand van haar vader het niet toeliet hem dit soort vragen te stellen, zodat er niets anders op zat dan Luz María Lascuráin, doña Lucha, te gaan opzoeken.

VI

Na de liefde is niets zo belangrijk als vertrouwen en een van de voordelen van het huwelijkse leven is nu juist de mogelijkheid dat volledig te genieten. Het vertrouwen om je ziel bloot te leggen, je lichaam zonder enige schaamte te ontbloten voor de ogen van je partner, je zonder gêne over te geven, je open te stellen, je schaamteloos in de armen van de ander te laten gaan zonder de angst gekwetst te worden. Het vertrouwen tegen je man of vrouw te kunnen zeggen: 'Lieve schat, je hebt een stukje boon tussen je tanden', of andersom te horen dat je per ongeluk een vuiltje of een snotje hebt.

Liefde en vertrouwen gaan hand in hand. Alleen met vertrouwen kan de liefdesenergie stromen en kan er een beter begrip ontstaan tussen twee mensen. Het eerste teken dat het vertrouwen tussen twee personen is verdwenen doet zich voor wanneer een van de partners zich verzet tegen persoonlijk contact, wanneer die duidelijk geen zin meer heeft in aanhalingen, kussen en toenadering.

In de acht jaar dat Lucha en Júbilo getrouwd waren was er een volledig wederzijds vertrouwen geweest. Geen van de twee had de ander gekwetst door argwanend te zijn. Ze hielden van elkaar en respecteerden elkaar ondanks het feit dat ze erg van mening verschilden. Het belangrijkste twistpunt was ongetwijfeld dat Lucha het niet eens was met het leven dat Júbilo haar bood. Sterker nog, Júbilo was ervan overtuigd dat dat de reden was waarom zijn vrouw niet opnieuw in verwachting raakte. Iets wat Júbilo eigenlijk niet echt verontrustte. En niet omdat hij niet meer kinderen wilde, maar omdat zijn salaris als telegrafist nauwelijks toereikend was om Lucha en Raúl, hun eerstgeborene, te onderhouden. Hij kon zich op het ogenblik niet veroorloven meer kinderen te voeden. Nou, in ieder geval niet zoals Lucha wilde. Zij verwachtte een levensstijl waar Júbilo nog lang niet aan kon voldoen.

Met het geld dat hij met het pokeren van don Pedro had gewonnen, verminderd met het bedrag dat hij Jesús en Lupita voor hun bruiloft had gegeven, hadden ze met pijn en moeite de borg kunnen opbrengen voor een huis dat naar de zin van zijn vrouw was. Het was klein, maar behoorlijk grieflijk en lag heel dicht bij het huis van zijn schoonouders, wel in de buurt Santa María la Rivera, maar grenzend aan Santo Tomás. Het huis was niet zo groot als dat van de familie Lascuráin, maar wel heel gezellig. Het had een mooie woonkamer met balkons die uitkeken op de straat, drie slaapkamers met hoge plafonds en houten balken die uitkwamen op een gang met bloembakken en aan het eind daarvan een eetkamer en een badkamer. Naast de eetkamer was een grote keuken en een patio waar Raúl lekker kon spelen.

Lucha was een tijdlang erg gelukkig. Het was heerlijk dat ze zich in de hoofdstad konden vestigen en er een einde was gekomen aan het zwervende leven dat ze tot dan toe hadden geleid. Het neerzetten van de schaarse meubelen vond ze net zo leuk als vadertje en moedertje spelen. Ze genoot enorm van alles wat te maken had met de inrichting van haar nieuwe huishouden. Voor het eerst sinds ze was getrouwd voelde ze zich vrij een spijker in de muur te slaan of een vaas bloemen neer te zetten waar zij dat wilde. De huizen en hotels waar ze daarvoor hadden gewoond, waren huurwoningen geweest die nooit van henzelf waren. En voor Lucha was het belangrijk dingen zelf te bezitten voor ze ervan kon genieten.

Júbilo evenwel kon zich de wereld toe-eigenen door er alleen maar naar te kijken. Hij kon genieten van de geur van gardenia's en het deed er niet toe of die in de tuin van de buren stonden of in zijn eigen bloembak. Hij trok zich verdriet en tegenslag van anderen aan. Hij deelde de dromen van zijn vrienden en vierde successen van anderen alsof ze van hem waren. Wellicht lag daarin zijn succes als telegrafist. Als hij een bericht verzond, deed hij dat met heel zijn hart alsof het van hemzelf was. En misschien miste hij daarom wel het directe contact met de mensen.

In de dorpjes waar hij zijn diensten als telegrafist had kunnen aanbieden, kon hij de door hemzelf opgestelde berichten volgen, dus hij wist meteen hoe de ontvangers op een bepaald telegram reageerden, maar in de hoofdstad werd zijn werk afstandelijk en het verloor menselijke warmte. Nooit hoorde hij wat er met de berichten was gebeurd en daarom vond hij minder voldoening in zijn werk en vond hij het een beetje zinloos.

Hij wist niet waarom hij zoveel werkte. Zijn werk als bemiddelaar en koppelaar ging verloren op een groot kantoor waar hij de berichten zo vlug mogelijk moest versturen en ontvangen en waar snelheid meer gewaardeerd werd dan doeltreffendheid. Júbilo voelde zich wat teleurgesteld in zijn werk, maar aan de andere kant wist hij dat hij precies deed wat Lucha van hem verwachtte en wat zijn zoon nodig had.

Hij werkte voor hen, niet voor zichzelf en dat was prettig. Dat Lucha in een eigen huis zat en haar zoon fatsoenlijk kon voeden en kleden maakte hem blij en gelukkig. Lucha was hem daarvoor dankbaar, maar het geld dat ze kreeg was nou niet echt wat ze had verwacht en al helemaal niet met een kind erbij. Zij wilde hem de beste opleiding, de beste schoenen, de beste fiets en de beste bal geven. Maar ze voelde zich financieel beperkt, waardoor ze al jarenlang druk uitoefende op Júbilo om dubbele diensten te gaan draaien en hem voortdurend verweet dat hij niet ambitieus genoeg was.

Júbilo vond die kritiek niet terecht. Het was niet zo dat hij geen doel had in zijn leven, maar het was alleen niet hetzelfde als dat van Lucha. Hij was er niet zo op gebrand rijk te worden, dat was niet zijn hoogste streven in het leven. Zijn moeder Jesusa had hem steeds voorgehouden dat rijke mensen juist arm waren omdat ze alleen maar geld hadden. Daar was hij het helemaal mee eens. Er waren belangrijker dingen in het leven dan het oppotten van kapitaal. Voor hem was een rijk man iemand die gelukkig wist te zijn en daar streefde hij naar.

Toen Raúl werd geboren was Júbilo net tweeëntwintig en Lucha twintig. Ze waren zelf nog kinderen. Ze waren zo jong getrouwd dat Júbilo geen tijd had gehad om met zijn vrienden plezier te maken. De eerste maanden was hij helemaal van slag, hij vond Raúl een indringer die alle liefde en aandacht van Lucha opeiste. Maar toen het kind tegen hem begon te lachen en op hem reageerde veranderde dat volledig. Hij begon Raúl als het kleine broertje te zien dat hij nooit had gehad en het kind werd al spoedig zijn speelkameraadje. Hun band werd zo hecht dat toen Raúl begon te praten zijn eerste woord papa was, en toen hij een ongeluk kreeg vroeg hij, in plaats van te huilen en om zijn mama te schreeuwen, naar zijn papa. Júbilo was een veel te jonge vader, die zelf een groot kind of een puber leek, en die na een saaie werkdag op het telegraafkantoor alleen nog maar zin had om zich te ontspannen, even plezier te maken met zijn zoon en daarna met zijn vrienden wat gitaar te spelen en te zingen.

Lucha vond dat hij totaal geen moeite deed om verder te komen in het leven. Zij was van mening dat Júbilo in plaats van tijd te verliezen met zijn 'gitaartje' beter Engels, Frans en boekhouden kon gaan leren of een andere baan moest zoeken die meer opleverde, in ieder geval iets waarmee zij en haar kind van een goede toekomst verzekerd waren. Want op korte termijn zag het er nou niet bepaald rooskleurig uit.

Raúl werd groter, zij wilde hem laten inschrijven op een goede privé-school, op het Colegio Williams of iets gelijkwaardigs. Júbilo vond dat niet nodig. Toen hij naar de hoofdstad was verhuisd, had zijn vader hem juist ook op die school ingeschreven. Hij kon daar maar kort naartoe want het spaargeld van de familie was algauw op en toen moest hij wel naar een staatsschool. Júbilo had het op die school veel leuker gevonden dan op de privé-school en hij begreep niet waarom zijn zoon niet hetzelfde zou vinden. Lucha had daarentegen altijd met plezier op het Colegio Francés gezeten. Ze vond een goede opleiding essentieel en ze zei het niet openlijk tegen Júbilo, maar dacht dat het verschil in opleiding tussen hen wel duidelijk was.

Júbilo sprak Engels noch Frans, kende Europa niet, wist

zich niet te bewegen in de betere kringen, en daarom dacht
Lucha dat hij gedoemd was tot een middelmatig leven. Zij
meende echter dat ze zo een goede baan zou kunnen krijgen. Ze had die mogelijkheid af en toe weleens ter sprake gebracht, maar Júbilo had het idee resoluut verworpen. Hij
vond het absoluut niet nodig dat zijn vrouw ging werken.
Hij was opgevoed met de gedachte dat hij de enige kostwin-
ner zou zijn. Dus om verlost te zijn van discussies over geld,
ging Júbilo ertegenaan, zag af van de speelmiddagen met
Raúl, het trio dat hij met zijn vrienden had gevormd, de
liedjes van Guty Cárdenas, zijn droom voor het radiostation xEW te zingen en begon als telegrafist bij de Mexicaanse Luchtvaartmaatschappij als zijn werk op het telegraafkantoor erop zat.

Dankzij dit bijbaantje konden ze algauw een nieuwe
koelkast en een trommelwasmachine kopen en de op hout
gestookte geiser vervangen door een elektrische boiler.
Lucha was gelukkig en Júbilo ook omdat zij dat was.

Een tijdlang ging het met hun gezinsleven heel goed.
Lucha had tijd om te wandelen, naar de schoonheidssalon
te gaan en te winkelen, want door de wasmachine, haar
snelkookpan en haar mixer hield ze tijd over. Ze was Júbilo
dankbaar dat hij de apparaten die ze zo hard nodig had voor
haar had gekocht en bleef de voordelen van de koelkast en
de andere huishoudelijke spullen roemen. Júbilo hoorde
nauwelijks wat ze zei want hij kwam doodmoe thuis, en het
uitgebreide verslag van wat zijn vrouw de hele dag had gedaan drong amper tot hem door voor hij in een diepe slaap
viel.

Lucha vond vervolgens een nieuwe aanleiding om ruzie
te maken met haar man: ze verweet hem dat hij niet naar

haar luisterde en niet had opgemerkt dat ze voor hem naar de *manicure* en de *pedicure* was geweest. Júbilo legde haar geduldig en liefdevol uit dat het geen gebrek aan interesse was, maar dat hij het belangrijker vond om de schaarse momenten dat ze samen waren met haar te vrijen in plaats van zijn energie en tijd te besteden aan gepraat.

Lucha werd woest en zei dat ze iemand nodig had om mee te praten, niet iemand om mee te vrijen, want ze was geen prostituee. Daar wist Júbilo niets op te zeggen. Hij vond het vleiender zijn vrouw te laten zien dat zij hem in vuur en vlam kon zetten en begreep niet dat Lucha het belangrijker vond dat hij naar haar ging zitten luisteren en kijken.

Gelukkig duurden deze strubbelingen niet lang. De eerste omhelzing ging algauw over in kussen, meer omhelzingen, verontschuldigingen, spijtbetuigingen en ze eindigden verstrengeld in bed.

Na een van deze verzoeningen ging Lucha weer tot de aanval over en smeekte Júbilo haar buitenshuis te laten werken. Júbilo, die het zat was steeds maar nee te zeggen en met de dag meer moeite had om alles te kopen wat Lucha wilde, stemde toe in het verzoek van zijn vrouw met als enige voorwaarde dat ze bij het telegraafkantoor zou solliciteren. Hij dacht dat als ze alle twee werkten, ze tenminste een manier moesten vinden om een groot deel van de dag samen te zijn.

Lucha's ouders besloten haar te helpen, ook al waren ze er pertinent tegen dat hun dochter ging werken, want in hun familie had nooit eerder een vrouw gewerkt.

Dankzij hun connecties regelden ze een afspraak met de directeur van Communicatie en ze verzochten hem Lucha de kans te geven als privé-secretaresse van de directeur van het telegraafkantoor aangesteld te worden, want ook al had ze geen opleiding als tweetalig secretaresse, ze sprak wel vloeiend Engels en Frans.

Lucha kreeg de baan, niet omdat ze twee talen sprak, maar omdat ze zo mooi was. De directeur van het telegraafkantoor dacht dat een zo representatieve secretaresse zijn status zou verhogen.

De aanwezigheid van Lucha verhoogde niet alleen de status van de directeur maar die van het hele bedrijf. Júbilo was daar nooit jaloers op, integendeel, hij was bijzonder trots dat het zijn vrouw was die bewondering en verlangens bij anderen opwekte. Natuurlijk waren de meeste collega's zijn beste vrienden en hoe ze Lucha ook bewonderden, er kwam nooit een echt zondige gedachte bij hen op. Júbilo had dat in hun blikken gezien, volgens hem school er geen enkel gevaar in de omstandigheid dat Lucha tussen de bureaus door liep en het uitzicht van iedereen opvrolijkte, want hij had er het meeste voordeel van. Dat zijn vrouw op kantoor werkte, was het beste wat hem kon overkomen. Met haar in de nabijheid zag alles er stralend uit.

Daar op het telegraafkantoor brachten Júbilo en Lucha hun gelukkigste jaren door. Omdat ze dezelfde ochtenddienst hadden, was hun relatie als die van een verliefd paar. Iedere keer dat ze elkaar tegenkwamen in de gangen wierpen ze elkaar verliefde blikken toe, ze zochten elkaar voortdurend op en gebruikten iedere gelegenheid om elkaar te kussen, elkaars hand te strelen of elkaar te omhelzen. Als ze samen in de lift stonden zonder iemand anders erbij omhelsden en kusten ze elkaar hartstochtelijk. Soms gingen ze zo ver dat ze zich in het toilet opsloten om te vrijen. Ze leken meer op een stel geliefden dan op een echtpaar en het was onvoorstelbaar dat ze de ouders van een zoon van acht jaar waren.

Raúl groeide voorspoedig op onder de hoede van zijn grootouders. In het begin miste hij zijn ouders wel maar hij was er algauw aan gewend van maandag tot vrijdag omringd te worden met speelgoed en de beste zorgen en in de weekeinden bij zijn ouders te zijn. Zaterdag en zondag waren feestdagen voor Júbilo en Lucha Chi. Júbilo probeerde de enorme invloed van de grootouders op Raúl een beetje te beperken. Hij ging met hem eten op de markt, wandelen door Xochimilco en liet hem de interessantste hoekjes in het centrum van de hoofdstad zien zodat hij een bredere visie op Mexico kreeg. Hij vond het belangrijk dat zijn zoon zijn eigen tradities en culturele verleden goed leerde kennen voordat hij andere culturen bewonderde.

Lucha kon tijdens de wandelingen van Júbilo en Raúl even op de patio in de zon gaan liggen en bijkomen voor ze op maandagmorgen weer aan het werk ging. Ze liepen die dagen altijd in pyjama, en de weekeinden dat Raúl met zijn grootouders naar het huis in Cuernacava ging, brachten ze poedelnaakt in bed door.

Zo gaf Lucha's werk hun liefdesleven een aantal jaren een nieuwe impuls. Nu Lucha geld had voor kousen en kleren kreeg ze weer plezier in het leven en leken haar problemen van de baan.

Het noodlot sloeg echter genadeloos toe en zette hun leven volledig op zijn kop.

Het begon met de onverwachte nieuwe zwangerschap van Lucha. Ze hadden er geen van beiden meer op gerekend. Ze veronderstelden dat Lucha na de geboorte van Raúl geen kinderen meer kon krijgen en waren helemaal van slag toen dat wel het geval bleek te zijn. En tot overmaat van ramp dook gelijktijdig met dit nieuws een figuur op aan wie ze nooit meer hadden gedacht: don Pedro, de machthebber uit Huichapan.

Don Pedro was een van de opportunisten van de Mexicaanse Revolutie die een overheidsbaan hadden bemachtigd om zich ongehinderd te kunnen verrijken. Kort nadat Júbilo in het café met pokeren van hem had gewonnen had don Pedro zich aangesloten bij de Partido Revolucionario Institucional en gedaan gekregen dat hij tot afgevaardigde van de federalisten werd benoemd. Daarna had hij verscheidene administratieve posten bekleed met als minst belangrijke die van directeur van het telegraafkantoor, maar hij dacht er niet over te protesteren, hij moest blijk geven van zijn gehoorzaamheid en trouw aan de partij.

Zulke op macht beluste figuren zouden zelfs een baan als inspecteur van bordeelbaden accepteren om maar in een machtspositie te verkeren. Bovendien had hij bij zijn eerste rondgang al gezien dat hij het er wel zou kunnen uithouden. Het eerste wat hem opviel in het telegraafkantoor was niet de ouderdom en de bouwstijl van het mooie gebouw, maar het fraai gevormde achterwerk van zijn toekomstige privé-secretaresse, dat hem heel bekend voorkwam, maar waarom wist hij nog niet. Toen ze aan elkaar werden voorgesteld vroeg hij haar meteen: 'Kennen wij elkaar niet?'

Waarop Lucha antwoordde: 'Ja zeker, meneer, we kennen elkaar van toen mijn man een tijdje als telegrafist in Huichapan werkte, maar dat is al enkele jaren geleden.'

'Maar natuurlijk! Hoe kon ik het vergeten! Uw man heeft toen in een gedenkwaardige partij poker van me gewonnen... het kan raar lopen, ik stap nog maar net dit kantoor binnen of ik kom al oude bekenden tegen.'

Júbilo's maag draaide om toen hij het hoorde. Hij zat er helemaal niet op te wachten die weerzinwekkende vent als chef te krijgen. Ze begroetten elkaar kil, als vroegere tegenstanders. Don Pedro was duidelijk niet blij dat de echtgenoot van de secretaresse op wie hij zijn zinnen had gezet, bij hem werkte. En waar hij zijn zinnen op zette dat kreeg hij, alleen zou het dit keer wat moeilijker gaan. Dat had Jubilo's blik hem duidelijk gemaakt.

Wonderlijk genoeg zou don Pedro zijn vroegere pokerrivaal nooit hebben herkend als het achterwerk van diens echtgenote hem niet bekend was voorgekomen. Júbilo was dikker geworden en met zijn flinke snor zag hij er veel knapper en mannelijker uit dan destijds. Don Pedro was geen spat veranderd. Afgezien van zijn dikkere buik zag hij er nog hetzelfde uit, hij was nog steeds dezelfde gewetenloze schurk, alleen had hij nu meer invloed en was nog doortrapter geworden.

Júbilo wist maar al te goed waartoe don Pedro in staat was en daarop hoefde hij niet lang te wachten. Don Pedro rekende meteen na zijn aantreden alles en iedereen tot zijn werkgebied. Hij vond dat het hele bedrijf van hem was: het gebouw, de bureaus, de telegrafen, de telegrafisten... en de secretaresses, dat hij met alles en iedereen kon doen waar hij zin in had, dat hij iedereen kon pakken, manipuleren en gebruiken zoals het hem uitkwam. Al snel deden er geruchten de ronde dat hij niet van de secretaresses kon afblijven.

Hij had het duidelijk op Lucha gemunt. Zij was degene op wie hij viel en die het dichtst in de buurt was.

Lucha ging er vreselijk tegen opzien om naar haar werk te

gaan, niet alleen omdat ze in de eerste maanden van haar zwangerschap steeds misselijk was en moest overgeven, maar ook omdat ze don Pedro's insinuaties moest dulden. Voortdurend voelde ze zijn blikken op haar borsten en achterwerk. Lucha wist niet meer hoe ze beide moest verbergen, omdat ze door de zwangerschap steeds voller werden. In haar zwangerschap leek don Pedro niet geïnteresseerd, in haar weelderige vormen echter des te meer, waarbij hij zich er niets van aantrok dat Lucha getrouwd was. Erger nog, dat leek hem juist op te winden. Hij werd met de dag opdringeriger. Aanvankelijk had hij haar alleen maar complimentjes gemaakt, maar nu begon hij ook al haar schouder te strelen als hij achter haar bureau langsliep. Hij gaf haar bloemen of bonbons, die ze met een briefje op haar bureau vond en ten slotte was hij op psychologische intimidatie overgegaan.

Soms vroeg hij na het dicteren van een brief: 'Wat is er Luchita, bent u ziek?'

'Nee, meneer.'

'Maar u doet zo afstandelijk tegen me.'

'Nee, dat is het niet, maar ik voel me niet zo lekker.'

'Ziet u wel? U bent dus toch ziek. Ik snap echt niet hoe uw echtgenoot zo'n mooie vrouw als u laat werken.'

'Hij "laat" me niet werken, dat was mijn eigen beslissing.'

'Als het dan uw eigen beslissing was, zullen de omstandigheden u daartoe wel hebben gedwongen, geen enkele vrouw laat voor haar plezier huis en kinderen alleen... zeg eens eerlijk, zou u op dit moment niet heerlijk knus in uw huisje willen zitten in plaats van hier deze ouwe charmeur aan te horen?'

Lucha moest goed over het antwoord nadenken. Als ze ja zei zou don Pedro aannemen dat ze noodgedwongen was gaan werken, maar als ze nee zei zou hij kunnen denken dat ze graag op kantoor zat om naar die ouwe kerel te luisteren, die eerder een gladde vent was dan een charmeur, dus ze trok haar schouders op en liep het kantoor uit.

Maar wanneer ze aan haar bureau zat begon het gif in de woorden van haar chef te werken. Ze was woedend op Júbilo, natuurlijk zat ze liever thuis te genieten van haar zwangerschap met het gevoel dat ze rein en zuiver was dan dat ze haar buik zat te verbergen voor de obscene blikken van don Pedro. Als ze hieraan dacht werd ze nog misselijker en meestal stond ze uiteindelijk in het damestoilet over te geven.

Júbilo van zijn kant was eveneens wanhopig, het kantoor was geen veilige plek meer voor hen. Er hing voortdurend een dreigende sfeer en daar kon hij niets aan doen. Hij voelde zich volkomen machteloos. Hij deed er alles aan om zijn familie een fatsoenlijk bestaan te bieden. Hij had al twee banen. Alleen als een dag geen vierentwintig maar zesendertig uur telde zou hij er nog een bij kunnen nemen.

Zijn vrouw moest weg uit het kantoor maar Lucha wilde niet. In het begin voelde ze er wel wat voor maar omdat Júbilo en zij van plan waren een groter huis te kopen met een extra kamer voor de baby hadden zij haar salaris hard nodig. Ze bleef dus werken en zorgde ervoor zover mogelijk bij don Pedro vandaan te blijven, met als gevolg dat haar chef haar nog meer achterna liep en er nog minder werk uit Júbilo's handen kwam, omdat hij er de hele dag over inzat wat er tussen Lucha en don Pedro gebeurde.

Júbilo was niet de enige die zich zorgen maakte. Niemand op kantoor wist meer waar hij aan toe was, waardoor de persoonlijke en werkverhoudingen sinds don Pedro's komst radicaal veranderden. Ontslagen hadden niet lang op zich laten wachten en iedereen vreesde het ergste. Ze gingen niet meer zo vertrouwelijk als vroeger met elkaar om en er werden heel wat minder grappen en grollen uitgehaald. Niemand waagde zich daar meer aan. De enige die er wat aan had kunnen doen was Júbilo, maar die had genoeg aan zijn eigen problemen. De toestand verergerde met de dag en met het uur, tot de bom barstte.

Lucha was nu zeven maanden zwanger en had samen met Lolita pauze. De baby in haar buik profiteerde van de gelegenheid om zich lekker uit te rekken. Lolita zag hoe de buik van Lucha van vorm veranderde en vroeg haar nieuwsgierig of ze de bewegingen van het kind even mocht voelen. Lolita, die nooit getrouwd was geweest en haar hele leven al op dit kantoor werkte, wilde dolgraag een keer een zwangere buik aanraken. Uiteraard willigde Lucha het verzoek van haar vriendin in en precies op dat moment verscheen don Pedro en vroeg Lucha of hij ook even mocht voelen.

Hij zei dat hij evenals Lolita nieuwsgierig was hoe de bewegingen van een ongeboren kind aanvoelden. Lucha stond in tweestrijd: ze wilde niet dat die kerel haar aanraakte, maar wist niet hoe ze dat moest brengen, als ze botweg weigerde zou ze onbeschoft lijken, omdat Lolita het wel mocht. Terwijl Lucha nog zat te denken haalde don Pedro zelf Lolita's hand al weg en legde zijn hand op die plek. Terloops raakte hij even Lucha's boezem aan. Voor ze de kans kreeg om woedend te worden kwam Júbilo als een furie aanstormen en trok met een ruk don Pedro's hand weg.

'Waag het niet mijn vrouw ooit nog aan te raken.'

'Wie denk je wel dat je bent.'

Als antwoord gaf Júbilo don Pedro een stomp midden in het gezicht, het was een krachtige rechtse die Kid Azteca hem niet zou verbeteren. Terwijl het zware lichaam van don Pedro de trap af rolde die Júbilo enkele ogenblikken ervoor opgestormd was, viel er een doodse stilte. Niemand kon zijn ogen geloven. De sympathieke, vrolijke, attente Júbilo, hun vriend, was aan het vechten, en nog wel met de gehate, gevreesde chef, hun vijand.

Het is logisch dat ze aan Júbilo's kant stonden maar dat niet mochten laten blijken, ze hielden hun adem in. Reyes wilde zijn chef overeind helpen maar deze sloeg zijn aanbod af.

'Niets aan de hand. Ik ben alleen maar gestruikeld. Aan het werk!'

Don Pedro stond op, klopte zich af, haalde een zakdoek uit zijn zak om het bloed dat uit zijn mond stroomde te stelpen en liep naar zijn kantoor. Zodra hij de deur had dichtgetrokken begon hij op wraak te zinnen. Hij was altijd een zeer slechte verliezer geweest en nu was hij al voor de tweede keer door Júbilo verslagen. Het ergste was nog dat hij door hem voor gek was gezet. Dat zou hij hem nooit vergeven. Zijn door de klap opengebarsten lip deed pijn, maar zijn gekrenkte trots nog meer.

Júbilo had zo-even in het kantoor zijn doodvonnis getekend, maar het kon hem niet schelen, hij wist dat hij juist had gehandeld en nu moest hij alleen Lucha nog zover krijgen dat ze samen met hem ontslag nam, maar Lucha vond dat ze beter eerst rustig de dingen op een rijtje konden zetten. Ze konden niet zonder werk komen te zitten, en allebei tegelijk al helemaal niet.

Hoe dan ook, het incident bedierf voor iedereen het

feestje waarmee ze Lolita hadden willen verrassen. Ze was die dag jarig en ze wilden haar gewoontegetrouw toezingen en op taart trakteren.

Het was niet zo feestelijk als voorgaande jaren. Ze misten het gelach en de moppen van Júbilo, hij noch de anderen waren die dag in de stemming. Om te kunnen lachen moet er een vertrouwelijke sfeer hangen en daarvan was in het telegraafkantoor niet veel meer over. Reyes deed zijn uiterste best om de boel op te vrolijken en het lukte hem zijn vrienden nog één keer aan het lachen te maken, goed genoeg om op dat ogenblik de herinneringsfoto te kunnen nemen.

Lluvia bekeek de foto nog eens goed. Ze twijfelde er niet aan dat haar moeder zwanger was. Het was duidelijk te zien. Het viel haar op dat haar moeder de handen op haar buik had gelegd alsof ze haar ongeboren kind tegen een dreigend gevaar probeerde te beschermen. Ze draaide de foto om en zag dat hij in 1946 was genomen. Twee jaar voor Lluvia's geboorte. Dat moest een vergissing zijn. Uit de foto bleek dat haar moeder een derde zwangerschap had gehad. Dat kon niet. Ze vond het heel vreemd dat niemand haar in al die jaren iets had gezegd, zelfs haar moeder niet. Doña Luz María Lascuráin loog niet. Bij haar thuis was liegen het ergste wat je kon doen. Het was onbegrijpelijk dat haar moeder zich niet aan de fatsoensnormen had gehouden waar ze haar leven lang bij haar gezin op had gehamerd. Hoewel, misschien had ze bij nader inzien niet gelogen maar alleen informatie achtergehouden.

En haar vader? Waarom zou hij nooit wat hebben gezegd? Waarom de geboorte van dat kind verzwijgen? Misschien was de zwangerschap voortijdig afgebroken en was er nooit een geboorte geweest. Hoe dan ook, dat was geen reden het voor haar verborgen te houden.

En Raúl? Hij was tijdens die zwangerschap acht jaar oud, zo klein was hij ook weer niet. Als er een baby was geboren, moest Raúl het zich kunnen herinneren, maar als dat niet het geval was zou hij het net als zijzelf niet hebben geweten. Hoogstwaarschijnlijk wist hij het wel maar had hij, als over-bezorgde grote broer, haar niets verteld. Lluvia had zich altijd geërgerd aan die houding van haar broer Raúl. Hij behandelde haar als een weerloos, zwak wezen voor wie hij moest zorgen omdat ze zich alleen niet kon redden. Lluvia was het beu het kleine zusje te zijn en als zodanig te worden behandeld. Waarom had iedereen samengezworen om deze informatie voor haar achter te houden? Ze was eerder furi-eus dan dat ze zich bedrogen en verraden voelde.

VII

Ik vraag me af hoeveel tijd er zat tussen het moment dat God zei: 'Laat er licht zijn' en dat het licht er was. Soms kan een seconde verschil tussen de ene en de andere gebeurtenis ons leven honderdtachtig graden omgooien.

Wanneer verandert liefde in haat? Hoe komt het zover? Wat is de oorzaak van die ommekeer? Een steeds maar weer kwetsend of beledigend gedrag of een incidentele gebeurtenis die toch ingrijpend genoeg is om een einde te maken aan een liefdesrelatie?

In de bouwkunst kunnen huizen op den duur instorten of in een ommezien vernield worden door een zware bom.

Steden en wijken veranderen stukje bij beetje of in de seconden dat een aardbeving duurt.

Een mens kan langzaam wegkwijnen of door een onverwacht schot van de aardbol worden weggevaagd.

Op dezelfde wijze kan het beeld dat we in ons hart van iemand hebben gaandeweg groeien of in een oogwenk tenietgedaan worden. Ons zelfbeeld kan versterkt worden met opbeurende woorden of beschadigd worden door grievende en kwaadaardige beweringen. En het omgaan met anderen kan ons tot betere mensen maken of ons zelfrespect voorgoed de grond in boren. Vaak is één woord genoeg. Een enkel woord om jaren van psychoanalyse teniet te doen.

Daarom trek ik altijd voordat ik naar mijn moeder ga een muur op om me te beschermen tegen haar woorden, haar verbittering, haar wantrouwen en haar negativisme.

'Dag kindje, hoe gaat het met je?'

'Goed mammie, en met jou?'

'Het gaat wel. Je weet, er is altijd wel wat, maar laten we het niet over mij hebben, laat me eens naar je kijken, je bent hier zo lang niet geweest... Ach, kijk nou toch kindje, wat ben je mager! Ik heb je nog zo gezegd dat je je niet zo moet afbeulen met de verzorging van papa. Je bent aan rust toe, je moet naar het strand en wat in de zon liggen. Als ik jou was, zou ik hem in een goed verzorgingstehuis onderbrengen zodat jij een normaal leven kunt leiden. Je ziet er afgepeigerd en moe uit, ik denk dat het voor je kinderen niet gemakkelijk is om zoveel mensen in huis te hebben, het is niet goed...'

'Het is ook niet goed om papa naar een bejaardentehuis te sturen. Ik heb je al eens gezegd...'

'Oké, oké, laten we geen ruzie maken. Ik bemoei me niet met jouw leven, ik zeg je alleen maar wat ik denk dat beter is... maar vertel eens, hoe gaat het met Perla?'

'Goed, mammie, haar vriend...'

'Kindje toch, daar maak ik me nou zo'n zorgen over! Jij hebt het zo druk met papa dat je niet beseft wat voor problemen er boven je hoofd hangen. Je zult nog heel wat tranen vergieten als je dochter, die zo hard van stapel loopt, een verkeerde beslissing neemt. Je moet eens met haar praten, ik vind het maar niks dat ze al zo lang verkering heeft en niet gaat trouwen. Luister, de laatste keer dat we bij elkaar waren, ik weet niet of het je is opgevallen, maar zij trokken zich er niets van aan dat wij er allemaal bij zaten, ze zaten maar hand in hand te kussen en kijk, kindje, ik moet zeggen dat het beslist niet goed is als een stel zich niets aantrekt van anderen!'

'Ach, mama, laat ze toch, het is hun leven.'

'Nee, ik zeg er niets van, ik bemoei me verder met niemand.'

'Goed zo!'

'Ik zeg je alleen maar dat ik me zorgen maak, want alle mannen, luister goed, denken alleen maar aan vieze dingen, het zijn allemaal smeerlappen...'

Het wordt tijd om de muren te versterken, me in te kapselen, een dam op te werpen! Ik kan dat verhaal wel dromen: 'Alle mannen zijn hetzelfde. Ze denken alleen maar aan neuken met wie er ook maar in de buurt is; of het nu de buurvrouw, het dienstmeisje of de vrouw van hun zoon is. Mannen zijn weerzinwekkende zwijnen die alles pakken wat los en vast zit en zelfs ratten als ze dronken zijn...'

Ik weet niet over welk soort mannen mijn moeder het heeft, want voorzover ik weet, heeft zij maar één vriend gehad en met hem is ze getrouwd en hoe ik mijn best ook doe, ik kan in het karakter van mijn vader totaal niets terugvinden waar die beschrijving op slaat. Integendeel, ik weet nog dat hij de afwas deed, in de rij stond voor de tortilla's, 's zondags in de keuken speenvarken met chilisaus klaarmaakte en er altijd was voor Raúl en mij. Ik heb nooit gezien dat hij een wellustige blik wierp op de buurvrouw, het dienstmeisje of wie dan ook. Als hij dat deed zou hij dat wel ver van huis gedaan hebben. Maar ik ga niet met mama in discussie, dus in plaats van iets terug te zeggen, trek ik mijn wenkbrauwen op, wat op wel duizend manieren uitgelegd kan worden en ga op iets anders over om ruzies te vermijden.

'Mammie, vertel eens, hoe gaat het met Raúl?'

'Goed, ik had hem gisteren nog aan de telefoon en hij vroeg hoe het met papa ging, ik zei dat hij heel ziek was en hij vond ook dat je hem moest laten opnemen.'

'Hij zou in plaats van commentaar te leveren papa eens wat vaker moeten bellen.'

'Nou, je weet toch hoe druk hij het heeft, en jij zou in plaats van je broer af te kraken hem dankbaar moeten zijn dat hij je geld stuurt voor de verpleegsters, want anders zou het helemaal een ramp zijn! En daarom vind ik…'

'Mama, ik heb je al gezegd dat ik papa nergens naartoe breng, voor mij is het geen enkele belasting, integendeel.'

'Nou dan moet jij het zelf weten, maar kom straks niet in tranen bij mij omdat je ziek bent of omdat Perla het huis uit wil…'

'Mama, hou op!'

'Kindje, zoals ik al zei, ik wil me niet met jouw beslissingen bemoeien, maar ik vind dat je je enorm veel problemen op de hals haalt met papa in huis, bovendien begrijp ik niet waarom je hem in bescherming neemt! Maar kijk, zo gaat het in het leven, de dochter die hij niet wilde neemt hem nu in bescherming…'

'Waarom zeg je dat nou, mama?'

'Omdat het zo was, papa, moet je weten, wilde dat ik me liet aborteren toen ik van jou in verwachting was…'

Ik geef het op, het is onmogelijk om ontspannen bij mama weg te gaan. Altijd slaagt ze erin me een klap te geven die onverwacht en hard aankomt. Ik weet niet of het waar is wat mama zegt. Als het zo was, zal mijn vader wel zijn redenen hebben gehad om haar dat te vragen. Wat kan mij dat schelen! Hiermee overtuigt ze me er toch echt niet van dat papa niet van mij houdt. Nooit van mijn leven heb ik gemerkt dat hij niet van mij hield. En laten we wel wezen, als ik een man was en getrouwd met mama, zou ik misschien ook wel geen kinderen van haar willen hebben, maar ik doe niet mee aan haar spelletjes, integendeel, nu neem ik het heft in handen.

'Trouwens, over papa gesproken, hij wil graag eens met je praten...'

'Kindje, ik heb je nu al honderd keer gezegd dat ik niets met hem te bespreken heb. Hij heeft voor mij allang afgedaan.'

'Ja, net zoals deze foto?'

'Waar heb je die vandaan?'

'Van Lolita. Van wie was je op deze foto in verwachting, mama?'

'Heb je hem aan papa laten zien?'

'Ja, maar je hebt me geen antwoord gegeven, van wie was je in verwachting?'

'Nou. Van jou, van wie anders? Moet je zien, een heleboel mensen op deze foto zijn er niet meer! Juanito, Lalo en Quique zijn al overleden... en ik geloof Pepito ook... maar goed, laten we het niet hebben over mensen die jij niet kent, vertel eens hoe gaat het met Federico, is hij al wat dikker geworden?'

'Nee mama, hij is nog even mager, maar vertel op, waarom heb je me nooit verteld dat papa en jij nog een kind hadden?'

'Heeft papa over hem verteld?'

'Nee.'

'Mmmm! Dan die bemoeial van een Lolita zeker? Die kletskous had altijd al een oogje op papa en flapt er van alles uit om moeilijkheden te veroorzaken, daarom heeft ze vast die foto voor je meegenomen, toevallig dat ze nou juist deze moest geven!'

'Waarom levert deze foto moeilijkheden op? Wat is er mis mee.'

'Luister eens, Ambar, daarom gaan jij en ik altijd met ruzie uit elkaar: je bent precies je vader, legt iemand altijd woorden in de mond, probeert altijd te raden wat iemand denkt... ik heb niets te verbergen... en als dat zo was is dat mijn goed recht, kinderen hoeven niet alles van hun ouders te weten, daar is geen enkele reden voor. Zeg op, zou jij het leuk vinden als je kinderen je vroegen wat de reden voor jullie scheiding was? Heb je hun dat verteld? Nee toch zeker? Dus waar haal je de brutaliteit vandaan mij hier te veroordelen!'

'Niemand veroordeelt je, mama, ik vraag je alleen...'

'Nou, daar heb je geen enkel recht toe! Dat ontbrak er nog maar aan! Wie ben je wel om mij te komen ondervragen? Met welke fatsoensregel ga je me veroordelen?'

'Ik heb je al gezegd dat ik je niet veroordeel...'

'Nou daar lijkt het anders wel op, meisje, en je kunt ook beter een andere toon aanslaan. Ik ben nog steeds je moeder en je hebt me maar te respecteren! Wat ik ook gedaan mag hebben! Ik heb mijn redenen voor alles wat ik in mijn leven heb gedaan en daar hoef ik jou geen uitleg over te geven. Ben je soms mijn biechtmoeder? Dat is niemand, hoor je, niemand! Als je zo geïnteresseerd bent in het leven van anderen, waarom ga je dan je dochter niet uithoren hoe vaak haar vriend haar gisteren op haar mond heeft gekust of hoe hij haar omhelsde, en dan wil ik weleens weten wat ze daarop zegt! Respect voor anderen is vrede! Als je zo graag wilt weten of ik nog een kind had, ja, dat had ik, maar hij is gestorven. Als je wilt weten hoe, vraag dat dan maar aan papa... ben je nu tevreden? Dat had je me moeten vragen in plaats van me te beschuldigen? En ga nu maar, Ambar, want je hebt me kwaad gemaakt en ik wil niet iets gaan zeggen waarmee ik je pijn doe... want ik heb, luister goed, nooit iets gedaan met de bedoeling je pijn te doen: ik geloof dat ik een goede moeder ben geweest, ik heb je liefde, zorg en het beste van mijzelf gegeven en als ik fouten heb gemaakt, waren die niet ernstig. Je zou eigenlijk een slechte moeder gehad moeten hebben zodat je echt reden tot klagen had. Een moeder die sloeg, dronk en moordde, zodat je volop kon protesteren...'

Ik hoorde al waar ze heen wilde. Dat verbaasde me wonderlijk genoeg niet. Ik wist dat eigenlijk al. Wat me iedere keer weer opvalt is dat mama, of ze nu tevreden of boos is, mijn naam niet over haar lippen kan krijgen. Ze zeggen dat papa hem heeft uitgezocht en ik vind het een mooie naam. Hij noemde me altijd bij mijn naam, soms noemde hij me liefkozend Chipi-Chipi in plaats van Lluvia, dat is een soort motregentje. Mama daarentegen hield het op Ambar, wat volgens haar hetzelfde is, hoewel ik eerlijk gezegd geen enkel verband zie. Mijn moeder zegt dat ze het woord Lluvia niet uit haar mond krijgt omdat het haar herinnert aan de periode dat papa en zij in Huichapan woonden, toen ze pas getrouwd waren en het de hele dag regende...

Hé… nu schiet me opeens iets te binnen. Toen Reyes ons het morsealfabet leerde, legde hij wat grondbeginselen van de elektriciteit uit zodat we de werking van de telegraaf beter zouden begrijpen. Hij herinnerde ons er op eenvoudige wijze aan dat elektriciteit de stroom is die opgewekt wordt door wrijving tussen twee lichamen van verschillende aard en dat er materialen zijn die elektriciteit geleiden en isolerende materialen. Water geleidt. Mijn naam Lluvia geleidt; maar toch lukt het me niet om een beter contact met mijn moeder te krijgen, want zij spreekt hem nooit uit! Als ze me roept, gebruikt ze Ambar, dat is een isolerend materiaal. Vreemd genoeg worden de woorden van mijn moeder niet door condens geïsoleerd, maar veroorzaken ze soms een elektroshock in mijn hersenen.

Ik moet het materiaal zien te vinden dat ze echt kan isoleren, anders lukt het me nooit opgewekt bij haar de deur uit te gaan. Maar nu moet ik snel terug naar mijn vader. Zijn woorden zijn pure alchimie. Zij hebben evenals het elektrische licht de wonderlijke eigenschap om duisternis in licht om te zetten.

VIII

'Regent het liefje?'

'Nee papa, ik ben de foto aan het ophangen die je van Lolita hebt gekregen.'

'Ach kindje! Dacht je dat ik het verschil niet hoor tussen het tikken van een hamer en dat van de regen? Het ontbreekt er nog maar aan dat ik doof word...'

Lluvia liep naar het raam en zag dat het inderdaad begon te regenen, maar het stelde niet veel voor en was bijna niet te horen.

'Ja, het is zo, het regent... hoe wist je dat?'

'Omdat ik de druppels zag.'

Lluvia moet lachen om de opmerking van haar vader, ze weet immers dat hij blind is.

'Nee, even serieus, hoe wist je dat?'

'Nou, dat is nogal gemakkelijk, ik hoorde ze toch.'

'Hoorde je ze? Niet te geloven! Ik zou dat niet horen, een stortbui zou nog gaan, maar die paar druppels nooit!'

'Tja, omdat je het niet probeert; je zult merken dat je dan langzamerhand meer dingen gaat horen. Ik ben begonnen met naar de geluiden van mijn lichaam te luisteren, toen naar die in huis, daarna die in de buurt tot ik zelfs de sterren kon horen.'

'Ja hoor!'

'Echt waar, Lluvia, ik meen het.'

'Eens kijken, vertel me dan eens wat de Poolster op dit moment zegt.'

'Nu?'

'Ja'

'O, maar dat kan ik niet omdat jouw gehamer onze communicatie verstoort.'

Lluvia en haar vader barstten tegelijkertijd in lachen uit. Lluvia vond het steeds leuker om via de telegraaf met haar vader te kunnen praten. Ze was er nu zo handig mee dat ze al zonder computer de berichten van haar vader kon begrijpen.

'Maar laten we een experiment doen om je te laten zien dat ik je niets op de mouw speld: jij neemt een vraag in je gedachten en daarbij concentreer je je op de ster, net of ze je echt kan horen, en dan zul je meteen antwoord krijgen, en als je niets hoort, krijg je het van mij.'

'Doet het er niet toe welke vraag?'

'Nee.'

'Ik denk dat ik van de ster niet hoef te horen van wie mijn moeder zwanger is op deze foto, waarschijnlijk kun jij me dat wel rechtstreeks vertellen.'

'Op welke foto?'

'Die ik aan het ophangen ben.'

'Dat moet je broer Ramiro zijn.'

'Heette hij Ramiro? En wat is er met hem gebeurd? Waarom heeft niemand het ooit over hem gehad?

'Hebben we dat niet gedaan?'

Júbilo kwam net op tijd thuis om van zijn zwager Juan te horen dat Lucha een zoon had gekregen. Juan was de arts in de familie en had bij de bevalling geholpen. Het was een moeilijke bevalling geweest maar gelukkig was alles goed gegaan. Júbilo liep de slaapkamer in en knielde naast het bed om de hand van zijn vrouw te kussen. Lucha wendde haar hoofd af. Ze was woedend op hem en wilde hem niet zien. Het was vier uur in de ochtend en Júbilo was net thuisgekomen, niet helemaal nuchter. Bij Raúls geboorte was Júbilo geen minuut van Lucha's zijde geweken, nu had ze het echter zonder hem moeten doen. Nou ja, haar moeder en haar broer waren erbij geweest, maar dat was toch anders. Júbilo maakte zijn excuses maar Lucha's enige reactie waren een paar tranen. Het ergste vond ze nog dat haar familie nu wist dat Júbilo aan de boemel was. Ze had zo haar best gedaan niet te laten merken wat voor leven ze de laatste tijd leidde. Maar Júbilo's ontslag had ze niet voor hen kunnen verbergen. Dat was overal en bij iedereen bekend. Lucha had haar baan op het kantoor nog, dankzij de referenties van destijds, maar eigenlijk wist ze heel goed waarom don Pedro haar als secretaresse had willen houden.

Nu ze alleen op het kantoor zat voelde Lucha zich weerloos en kwetsbaar, maar toch had ze geen ontslag willen nemen. Dat vond ze niet nodig. Over een paar weken kreeg ze zwangerschapsverlof en kon ze thuis drie maanden lang van haar salaris genieten, samen met haar kinderen en Júbilo. En daarna zouden ze wel zien hoe ze het met de financiën oplosten. Ze had het graag voor haar gezin over en hopelijk begreep en steunde Júbilo haar, maar dat was niet het geval.

Na het incident was Júbilo's eerste opwelling om samen met zijn vrouw ontslag te nemen, maar omdat Lucha weigerde moest hij wel blijven om haar te kunnen steunen, op haar te letten en haar te beschermen tegen don Pedro. Zijn ontslag liet echter niet lang op zich wachten.

Voor Júbilo waren die laatste maanden een hel geweest. Zijn onterechte ontslag zat hem vreselijk dwars. Hij had er niets tegen kunnen doen. Hij was tot in het diepst van zijn ziel gekwetst, de belediging was te groot. Hij begreep dat Lucha nog wilde blijven werken tot ze met zwangerschapsverlof ging, maar voor hem was het erg moeilijk.

Het was zijn eer te na dat zijn vrouw werkte… en nog wel bij zo'n zieke geest als don Pedro! Hij vond het een afschuwelijk idee dat ze bij elkaar waren en werd gek van jaloezie. Hij voelde zich bestolen en beroofd van zijn grootste schat. Alsof iemand hem een long had uitgerukt of zijn oren afgesneden. Nee, erger nog, alsof ze hem hadden gevild en zijn huid er los bij hing of zijn hoofd hadden volgespoten met kunstsneeuw.

Hij kon niet slapen, niet eten, niet denken, alles ergerde hem en over alles maakte hij zich kwaad. Alsof hij vanbinnen een soldeerbout had zitten die zijn huid voortdurend in brand zette. Dat nare gevoel gaf hem geen moment rust. Er maalde steeds, als een grammofoonplaat die blijft hangen, een beeld door zijn hoofd dat hij niet kon vergeten: don Pedro die Lucha's buik streelde. Die hufter had het gewaagd het voor Júbilo allerheiligste aan te raken! Hij had zijn smerige handen op het lichaam van zijn vrouw gelegd. ZIJN VROUW. Hij had zijn tempel, zijn godin, zijn grootste liefde ontheiligd. Natuurlijk kon Lucha er niets aan doen maar toch was hij kwaad op haar. Hij snapte niet dat ze zo rustig naar haar werk kon blijven gaan. Hij was woedend op Lucha, op don Pedro, op alles en iedereen, maar deed zijn uiterste best zijn gezin niets te laten merken. Hij probeerde net zo lief en vrolijk als altijd te zijn, maar toch had iedereen in de gaten dat hij zichzelf niet meer was en dat zijn lachen meer weg had van huilen. De eerste dagen dat Lucha naar haar werk was en Raúl naar school, ging Júbilo weer terug naar het bed dat de warmte en geur van zijn geliefde echtgenote nog vasthield en om niet helemaal gek te worden probeerde hij aan iets anders dan don Pedro te denken. Hij wilde naar *Los Cancioneros del Sur* luisteren, zijn favoriete radioprogramma op de xew, maar hij kon het niet. Die muziek waar hij altijd zo van had genoten benauwde hem nu, omdat hij daardoor werd herinnerd aan een Júbilo die ooit zanger had willen worden. Dus zette hij maar liever de radio uit en ging wat anders doen.

Zonder Lucha en Raúl was het doodstil en eenzaam in huis. Júbilo drentelde wat rond, kocht een krant bij de kiosk op de hoek en ging in de woonkamer zitten lezen. Hoewel de woonkamer helemaal aan het andere eind lag kon Júbilo duidelijk het tikken van de wandklok in de eetkamer horen. Een allesoverheersend tik-tak. Júbilo moest ernaar blijven luisteren en voortdurend denken aan wat er op dat moment op het kantoor gebeurde. Elk kwartier liet de klok een andere melodie horen en op de hele uren een paar harde slagen.

Als hij het negen, tien of twaalf uur hoorde slaan, dacht Júbilo aan wat er gewoontegetrouw op het telegraafkantoor werd gedaan. Hij wist precies hoe laat Lucha naar het toilet ging, op welk moment Chucho de krant ging zitten lezen, wanneer Reyes een kop koffie ging halen of Lolita haar neus poederde.

Het ging fout zodra hij begon te denken aan wat don Pedro aan het doen was. Hij probeerde die gedachte uit te bannen, maar ze liet hem niet meer los en de kwelling begon opnieuw. Hij zag voor zich hoe don Pedro de deur van zijn kantoor opendeed en Lucha binnenriep om haar een brief te dicteren. Daarna zag hij voor zich hoe Lucha moeizaam met haar zwangere buik opstond en hoe don Pedro een wellustige blik op haar heupen wierp. Tot slot zag hij de morbide glimlach voor zich waarmee don Pedro de deur dichtdeed, zonder dat hij er vanuit de verte wat aan kon doen. Dat hij Lucha niet kon zien of horen maakte hem dol en de machteloosheid maakte hem woedend.

Het leven had hem geen zwaardere straf kunnen opleggen dan hem in een stoel neerpoten. Hij kon niets uitrichten, hij was slechts een toeschouwer. Dat de jaloezie zijn blik op de werkelijkheid vertroebelde was nog het ergste. Voor zijn ogen hing een sluier, zoals bij een schimmenspel, die zijn blik vertekende en hem enorme, onoverwinnelijke, angstaanjagende monsters en spookbeelden deed zien. Zo werd toch ook de schaduw van een hand door het licht achter het scherm in een krokodil veranderd. En Júbilo keek verlangend uit naar het moment dat hij de zon weer te pakken kreeg, verlost werd van de jaloezie en er weer licht in zijn leven zou zijn. Het licht! Zijn Luz María. Volgens Júbilo had de relatie met Lucha zijn leven net zo veranderd als het elektrische licht het leven van de mens.

Een van de belangrijkste gebeurtenissen van de eeuw was dat de nacht in dag kon veranderen. Heel wat apparaten die op elektrische energie werkten hadden sindsdien het leven in de grote stad veranderd.

De komst van de radio had bij de Mexicaanse families voor gezinsuitbreiding gezorgd. Bij de familie Chi bijvoorbeeld bestond het gezin uit Júbilo, Lucha, Raúl, Agustín Lara en Guty Cárdenas. Zonder stroom viel de familie uiteen en bleven alleen Júbilo, Lucha en Raúl over. Maar wanneer zijn vrouw en zoon weggingen voelde Júbilo zich ellendiger dan wanneer de stroom uitviel. Hij kon niet tegen stilte en eenzaamheid.

Waar hij de grootste moeite mee had was niet dat hij alleen achterbleef of dat Lucha voor don Pedro was blijven werken in plaats van hem te steunen, maar dat ze deed alsof er nooit iets was gebeurd; alsof don Pedro nooit haar borsten had gestreeld en dat Júbilo hem met een stomp die brutaliteit betaald had gezet en don Pedro hem uit wraak voor die kaakslag had ontslagen en haar nu ongehinderd de hele tijd met zijn blik kon intimideren. Hij nam het Lucha hoogst kwalijk dat zij met een stalen gezicht deed of er 'niets aan de hand' was. Lucha was daardoor ook schuldig aan een vergrijp: dat van de straffeloosheid. Tot zijn verdriet zag Júbilo dat zijn echtgenote en al zijn collega-telegrafisten hun mond hielden en allerlei onrecht duldden om hun baan maar niet kwijt te raken. Wat nou, kon je echt niet op een andere manier de kost verdienen zonder je eergevoel te verliezen?

Zagen ze dan niet dat don Pedro zonder zijn geld en zijn functie niets voorstelde? Hadden ze hem niet als een voddenbaal de trap af zien rollen? Júbilo kon niet begrijpen waarom mensen zich zo nodig moesten schikken, waarom ze zwegen en toelieten dat een corrupt en minderwaardig figuur hen terroriseerde.

Wat miste hij zijn grootmoeder op die momenten! Doña Itzel was altijd helder en analytisch geweest en heel sociaal bewogen. Als ze nog leefde was ze zeker in opstand gekomen en zou ze orde op zaken stellen in het kantoor.

Júbilo vroeg zich af wat doña Itzel ervan zou zeggen als ze wist dat de door haar zo gevreesde vooruitgang zelfs tot in huiselijke kring was doorgedrongen. Dat er in bijna elk huis een radio en een telefoon waren. Dat kort geleden de televisie gepatenteerd was en de mensen krom lagen voor de aanschaf van zo'n toestel waarmee ze ver weg konden kijken.

De grootmoeder zou met eigen ogen kunnen zien dat haar vrees wel degelijk terecht en de vooruitgang niet zo onschuldig was als men geloofde, en hebben beseft hoe gevaarlijk het was dat de eigenaar van een radiostation besliste wat de luisteraars te horen kregen en de eigenaar van een televisiestation welke beelden er werden uitgezonden. Dat het beheersen van de communicatie manipulatie van informatie en daarmee ook van de publieke opinie in de hand werkte.

Niet dat Júbilo nou zo'n heilig boontje was. Zijn leven lang had hij berichten zitten aanpassen, maar alleen, en dat moet onderstreept worden, om de relaties tussen mensen te verbeteren. Er waren echter heel wat mensen die inderdaad de tijd en de moeite hadden genomen om verbindingen tot stand te brengen tussen voorheen geïsoleerde dorpen, maar duidelijk uit winstbejag, want alles was geoorloofd, was te manipuleren, uit te buiten, om te kopen en te verhandelen.

Júbilo kon zich heel goed voorstellen wat zijn grootmoeder zou zeggen: ze zou de sigaar uit haar mond halen en hem in zijn gezicht vragen: 'Wat is er aan de hand, Júbilo? Hoe kun je toelaten dat een kerel, die geen zier om communicatie geeft, directeur van het telegraafkantoor is? Ik ben nog niet dood of alles gaat naar z'n mallemoer! Het is toch onvoorstelbaar dat wij, die een revolutie hebben ontketend om jullie een beter Mexico na te laten, allemaal onder de grond liggen te verrotten terwijl die opportunisten profiteren van onze strijd. Hoe kun je dat over je kant laten gaan? Wat ben je voor sukkel? Hoe kun je zo'n gewetenloze en schaamteloze kerel als don Pedro bij Lucha in de buurt laten komen terwijl jij op een bankje in het park zielig zit te wezen? Wees niet zo'n slappeling! Vooruit, doe er iets aan!'

Maar wat kon hij doen? Lucha dwingen haar baan op te zeggen? Ten eerste was ze geen kind dat zich liet commanderen, en ten tweede kon hij haar zoals het er nu voor stond niet onderhouden. Had hij maar voor advocaat of arts gestudeerd zoals een paar van zijn zwagers in plaats van dat hij zo nodig telegrafist moest worden, dan zat hij nu niet in deze ellendige situatie. Hij voelde zich een mislukkeling. Het ergste was nog dat door de komst van de radioverbinding telegrafisten minder toekomstmogelijkheden hadden. Een nieuwe baan was niet zo gemakkelijk te vinden. Hij wilde dolgraag dat Lucha stopte met werken, maar hoe of wanneer wist hij niet. Voorlopig moest hij accepteren dat ze Lucha's salaris hard nodig hadden waardoor hij zich nog nuttelozer voelde.

Gelukkig had hij zijn baan 's avonds bij de Mexicaanse Luchtvaartmaatschappij nog, zodat hij zich niet helemaal mislukt voelde. Anders zou hij zijn polsen doorsnijden.

Zou er een bepaalde plek voor hem zijn ingeruimd? Een functie die op hem wachtte? Zou hij onderdeel van een kosmische ordening zijn? In zijn geliefde buurt kwam alles meer overeen met een natuurlijke, geheiligde orde. De begijnen gingen altijd op hetzelfde uur naar de kerk. De klok van het Geologisch Museum sloeg precies op tijd. De broodjes in bakkerij La Rosa kwamen om zeven uur 's morgens en om een uur 's middags uit de oven, of het nu regende of onweerde, dokter Atl maakte zijn gebruikelijke wandelingetje. De vrouwen gooiden emmers water over het trottoir en schrobden grondig voor de kinderen naar school gingen. De scharensliep stond met zijn fiets op dezelfde hoek op dezelfde tijd. Alles en iedereen volgde een vooraf bepaald ritme.

Júbilo vroeg zich af in hoeverre je die volgorde kon doorbreken. In hoeverre die ordening verstoord kon worden. Hoe ver een eenvoudige sterveling zoals hij mocht gaan om de loop van de gebeurtenissen te wijzigen. Zou zijn lotsbestemming al vastliggen? Zou hij die kunnen veranderen?

Het enige wat hij kon doen was mensen met elkaar in verbinding brengen en Lucha beminnen. Iets anders kon noch wilde hij. Als kind wist hij al dat hij het liefst zijn medemensen wilde opmonteren en hun onderlinge relaties verbeteren. Bovendien vond hij, al zei hij het zelf, dat hem dat goed afging. Zijn hele leven draaide om communicatie en zijn liefde voor Lucha. Vanaf de eerste dag dat hij haar zag, hoopte hij vurig voor altijd bij haar te zijn en dat zij de laatste was die hij zou zien voor hij stierf. Dat was zijn wens, maar het zag ernaar uit dat het op industrie en technologie gebaseerde productiesysteem zijn plannen duidelijk dwarsboomde.

Voor de tweede keer in zijn leven voelde hij zich onzeker, teleurgesteld en eenzaam.

Door een samenloop van omstandigheden was don Pedro op zijn weg gekomen. Hij was zo kwaad op hem dat als hij hem zag hij hem in elkaar zou rammen, zijn ballen tot gort zou schoppen en kokende olie in zijn ogen zou gooien zodat hij nooit meer een onbeschaamde blik op zijn of wiens vrouw dan ook zou durven werpen.

En dan zijn handen! Die handen waarmee hij Lucha had

durven aanraken, waarmee hij boeren beroofde, onschuldigen vermoordde en zijn ontslag had getekend... Die zou hij graag met blaadjes papier inkerven en daarna met citroensap en peper inwrijven, zodat hij zich zelfs niet meer kon aftrekken. Dat zwijn van een don Pedro zat nu vast en zeker te masturberen en aan de tieten van Lucha te denken. Júbilo wist best dat don Pedro, toen hij langs Lucha's borst streek, het liefst haar hele borst had gepakt, die uit de beha had willen halen en in zijn mond had willen stoppen, en hij kon het weten! Want toen Lucha zijn hand had gepakt en op haar borst had gelegd, duidelijk met de bedoeling dat hij die streelde, was hij er bijna in gebleven. De eerste keer vergeet je nooit, ook Júbilo niet, maar haar soepele gladde jonge borstjes haalden het niet bij de grote ronde borsten die ze had nu ze zwanger was.

Hij vond het steeds fijner om haar te strelen. Wat was hij gelukkig dat hij de liefde in Lucha's armen had gevonden. Met haar had hij leren kussen, strelen, likken en neuken. Samen hadden ze ontdekt hoe ze elkaar het beste konden bevredigen. Júbilo beschouwde zijn hand als zijn belangrijkste geslachtsorgaan, zijn genotverschaffer en genotbrenger in het groot. Met zijn penis streelde hij alleen maar haar vagina, met zijn hand daarentegen kon hij Lucha's hele lichaam liefkozen. Júbilo wist precies wat de erogene zones van zijn vrouw waren, waar en hoe hij met zijn vingers en handpalm moest strelen. Hij had de gevoeligste plekjes gerubriceerd, waarbij de borsten bovenaan stonden. Júbilo wist welke tepel het meest sensibel was, hoe hij die pijnloos moest liefkozen, hoe hard hij kon zuigen en bijten zonder de tere huid te bezeren.

Plotseling kreeg hij iets tegen zijn hoofd. Een bal viel uit de lucht en bracht hem bij zijn positieven. Het gelach van een paar spelende jongetjes in het park leidde zijn gedachten af. Glimlachend gaf Júbilo de bal terug. Ineens voelde hij zich schuldig omdat hij op die tijd in plaats van te werken in het park zat en helemaal omdat hij in aanwezigheid van die onschuldige kinderen aan Lucha's tepels zat te denken. Hij probeerde zich even te concentreren op zijn kruiswoordpuzzel en net te doen of hij daarmee bezig was en niet zat te lanterfanten. De mensen moesten niet denken dat hij een luie donder was, want gewoonlijk worden personen beoordeeld op wat ze doen en gewaardeerd om wat ze verdienen, maar hoe dan ook, hij vond zichzelf een nietsnut.

Een morsige kerel kwam op onvaste benen naast Júbilo op de bank zitten en stoorde hem in zijn bezigheid. Het was Chueco López. Hij had een enorme kegel. Het duurde even voor hij Júbilo herkende, maar toen sloeg hij huilend zijn armen om hem heen. Hij noemde hem 'boezemvriend' en vroeg of hij wat met hem ging drinken in het café. Júbilo was niet bepaald happig om met Chueco mee te gaan maar omdat hij niets beters te doen had ging hij mee. Chueco López had kennelijk geen cent bij zich en uiteindelijk was het Júbilo die betaalde, maar daar zat hij helemaal niet mee want hij ontdekte de heerlijk verdovende werking van alcohol.

Hij voelde zich een hele poos niet ellendig. In dagen had hij niet zo gelachen. Hij dacht niet meer aan Lucha en haar tepels, aan don Pedro met zijn grote hand en aan zijn gedeeltelijke werkloosheid.

Uiteraard behoorde hij vanaf die dag tot de stamgasten. Na een paar glaasjes zag het leven er heel anders uit. Hij kon weer moppen vertellen, geestig zijn en de andere vaste klanten aan het lachen maken.

Júbilo's leven veranderde snel. Hij staakte zijn verwoede pogingen om werk te zoeken. In het café voelde hij zich nuttig. Al spoedig was hij de vertrouweling van een aantal drinkebroers en hij had de ideale plek gevonden om zijn ochtenden door te komen. Na Raúl naar school te hebben gebracht liep hij rechtstreeks naar het café. Daar was altijd wel iemand om domino mee te spelen, leuke anekdotes aan te vertellen of een toost mee uit te brengen op de vrouwen. Hij ging steeds meer roken. Het waren nu al drie pakjes per dag.

Hij verliet het café als hij de klok van het Geologisch Museum het uur hoorde slaan dat hij zijn zoon uit school moest halen om hem naar zijn grootouders te brengen. Van daar nam hij de bus naar de luchthaven en kwam op tijd op zijn werk als telegrafist. Hij stonk naar drank en sigaretten maar zijn humeur was uitstekend. Na afloop van zijn dienst ging hij naar huis en kroop bij Lucha in bed. Met zijn armen om haar heen en zijn hand op haar dikke buik, waarin hij het hart van zijn toekomstige kind voelde kloppen, kreeg alles weer zin.

Geleidelijk aan veranderde zijn dagelijkse ritme. Het begon ermee dat hij in plaats van op te staan, een bad te nemen en zich klaar te maken om naar het café te gaan liever in zijn pyjama in bed bleef liggen. Daarna kwam het zover dat hij zich niet meer wilde scheren tot hij op een dag zelfs niet meer op zijn werk bij de Mexicaanse Luchtvaartmaatschappij verscheen.

Iedere moderne psychiater zou een zware depressie hebben geconstateerd, maar omdat Lucha dat nu eenmaal niet was, sprong ze uit haar vel van woede. Ze kon er niet meer tegen. Al die tijd had ze gedaan of er niets aan de hand was, maar dat was wel degelijk het geval! Ze moest naar kantoor

en het geflirt van don Pedro resoluut maar vriendelijk af-
wimpelen, zodat hij niet kwaad zou worden. Ze moest de
dranklucht die uit Júbilo's lichaam opsteeg verdragen, ook
al werd ze er misselijk van als ze dicht bij hem was. Ze moest
eten voor het kind in haar buik, ook al had ze geen honger.
Een kind dat nergens schuld aan had. Een kind dat, zo
smeekte ze God, gezond zou zijn en nooit de aanraking van
don Pedro's hand had gevoeld. Zij moest al die gedachten
voor zich houden want die gingen alleen haar aan. Zij
moest als ze moe uit haar werk kwam de bedden opmaken,
de afwas doen, eten voor Raúl maken en voor hij naar bed
ging even met hem spelen. Ze moest zich inhouden om Júbilo niet te verwijten dat hij haar niet hielp in huis, want ze
besefte wel degelijk hoe moeilijk hij het had. Maar ze kon
niet meer!

Als Júbilo dacht dat het makkelijk was om je mond te
houden en niets te zeggen had hij het mis. Ze kon er niet
meer tegen om bij zoveel onrecht te blijven zwijgen. De af-
standelijkheid van haar echtgenoot was ondraaglijk. Ze
miste hun vrijpartijen van vroeger, want zelfs dat konden ze
niet meer. Ze kon elk moment bevallen. En nu wilde Júbilo
tot overmaat van ramp niet werken. Makkelijk hoor!

Ze hadden een heftige woordenwisseling waarbij Lucha
al haar woede spuide en ze meer bereikte dan een sessie bij
de psychiater. De volgende dag ging Júbilo weer aan het
werk, maar eerst goot hij zich vol in het café. Wanhopig besefte Lucha dat ze niet meer op Júbilo hoefde te rekenen, dat
ze er alleen voor stond.

Gelukkig kreeg ze kort erop haar langverwachte zwangerschapsverlof. Lucha stopte met werken en de problemen

tussen haar en Júbilo werden aanzienlijk minder.

Júbilo's ellende verdween als sneeuw voor de zon toen hij zijn vrouw kon zien, horen en aanraken. Nu Lucha thuis was, werd alles weer als vanouds. Júbilo zat uiteraard liever bij haar dan in het café. Hij genoot van haar aanwezigheid. Ze gingen samen naar de markt, kookten samen, gingen samen in bad, haalden samen Raúl op en aten samen voor Júbilo naar de luchthaven ging. Ineens zag hij zijn ontslag bij het telegraafkantoor als iets positiefs. Dankzij de vrije ochtenden van Júbilo konden ze weer leven als een pasgetrouwd stel. Echter niet als minnaars, want Lucha's dikke buik stond zulke capriolen in de weg, maar ze waren verliefder dan ooit. Ze voelden zich verbonden en heel gelukkig ook al had Júbilo nog steeds geen werk.

Júbilo was het bestaan van don Pedro bijna vergeten. Zijn naam werd in huis niet genoemd. Misschien ergerde hij zich daarom wel zo toen een telefoontje hem tot de werkelijkheid deed terugkeren.

Hij was tortilla's gaan kopen en bij terugkomst liep hij door de slaapkamer waar hij Lucha op bed zag zitten telefoneren. Lucha was gespannen. Júbilo wilde niet onbeleefd zijn en liep door, maar probeerde wel zoveel mogelijk van het gesprek op te vangen. Hij had net de tafel gedekt terwijl Raúl zijn handen waste, en toen Lucha de eetkamer binnenkwam begreep hij dat don Pedro had gebeld. Iets in haar stem zei hem dat. Alsof er niets aan de hand was vroeg hij:

'Wie was dat?'

'Don Pedro.'

'En wat wilde hij?'

'Niets. Hij wilde alleen weten hoe het met me ging en of we al hadden besloten wie de peetvader van het kind zou worden.'

'En wat heb je gezegd? Hij denkt toch zeker niet dat hij de peetvader van mijn kind wordt?'

'Ik geloof het wel...'

'Hopelijk heb je hem verteld dat daar geen sprake van is.'

'Ik heb het hem niet met zoveel woorden gezegd. Ik zei dat we nog niets besloten hadden, dat we er nog over nadachten en dat ik het eerst met jou moest bespreken.'

'Dat is het toppunt! Ik wist niet dat het zo'n hufter was! Hoe haalt hij het in zijn hoofd!'

'Rustig nou maar, schat, straks hoort Raúl ons nog.'

'Kan me niets schelen! En jij, Lucha, waarom heb je geen nee gezegd? Zeg op! Wil je zo graag dat hij peetvader wordt?'

'Natuurlijk niet! Ik wil hem helemaal niet bij mijn kind in de buurt hebben, maar ik hoef ook niet onbeschoft tegen hem te zijn...'

'Nee! Natuurlijk niet! We moeten alle respect voor meneer hebben!'

'Dat ook weer niet, Júbilo, maar het heeft geen zin om een slechte verhouding met hem te hebben, per slot van rekening is hij mijn chef. Over een paar maanden moet ik weer aan het werk bij hem en dan wil ik geen ruzie.'

'Je hoeft me niet te verwijten dat jij de enige hier in huis bent die werkt!'

'Hoezo verwijten, wie doet dat dan? Praat geen onzin!'

'Wat is er, mama?'

Het bedrukte gezichtje van Raúl maakte een einde aan de ruzie van zijn ouders maar kon niet verhinderen dat Júbilo na het eten het huis uitliep en pas tegen vier uur 's morgens terugkwam, nadat het nieuwe broertje al was geboren.

Het nieuwe lid van de familie Chi was een heel mooi jongetje dat echter ook ontzettend kon brullen. Hij huilde dag en nacht en werd al spoedig de grootste uitdaging in Júbilo's leven tot nu toe. Normaal gesproken begreep hij perfect wat een kind met zijn gehuil bedoelde, maar met zijn eigen zoon lukte het absoluut niet. Het kostte hem enorme moeite om de protesten van Ramiro, het nieuwe gezinslid, te verklaren maar toch was hij de enige die hem kon kalmeren. Met Raúl was het veel makkelijker gegaan. Júbilo wist altijd precies of zijn zoon wilde eten of een schone luier nodig had. Met Ramiro bleek dat echter niet mogelijk. Hij had meer moeite met het begrijpen van zijn protesten dan met een telegram in het Russisch. Om zo'n beetje aan te voelen wat Ramiro wilde moest hij zijn gehuil meer dan een half uur verdragen. Dat lijkt kort, maar wie het oorverdovende gebrul van een kind heeft moeten aanhoren, weet waar we het over hebben.

Lucha werd gek van het kind en waardeerde het enorm dat Júbilo vol toewijding en inzet voor hem zorgde. Eerst dacht ze dat hij het deed om zich te rehabiliteren en het goed te maken dat hij niet bij de bevalling was geweest, maar ze ontdekte algauw dat haar man echt belangstelling voor het kind had en hoopte dezelfde goede band met hem op te bouwen als met Raúl. Hij zong, speelde met hem, suste hem liefdevol in slaap, maar meestal bleef het kind onvermoeibaar huilen. Ramiro was op deze wereld gekomen zonder gebruiksaanwijzing, vandaar dat Júbilo zich door zijn instinct moest laten leiden en net zo te werk moest gaan als zijn voorouders bij het uitoefenen van het vaderschap.

Om te weten wat hij wel en wat hij niet met het kind moest doen hanteerde Júbilo de oude methode van uitproberen en kijken wanneer het fout ging. Terwijl hij zijn conclusie trok begon de familie Chi naar Ramiro's pijpen te dansen. Het kind bepaalde wat er in huis gebeurde. Als Ramiro sliep moesten ze daar allemaal van profiteren om ook even uit te rusten en als hij wakker werd moesten ze allemaal opstaan. Het lukte niet om in bed te blijven liggen, want de decibellen die zijn huilbuien produceerden waren zo ondraaglijk en alarmerend dat er zelfs klachten van de buren kwamen. Ze vroegen of het kind wel genoeg at en of het niets mankeerde. Maar nee, het kind was zo te zien goed gezond. Het had geen problemen met zien en horen. Geluidjes maken, hou daar maar over op, zijn bewegingen en reflexen waren volkomen normaal voor een kind van zijn leeftijd. Hij plaste en poepte dat het een lieve lust was. Niets wees op een lichamelijke stoornis. Nee, er was iets anders met hem aan de hand en zelfs Júbilo kon er niet achter komen wat dat was.

Na de reactie van zijn zoon op bepaalde prikkels onderzocht te hebben, ging hem een licht op en Júbilo kwam tot de conclusie dat zijn zoon niet tegen de lucht van alcohol kon.

Die gelukkige ontdekking deed zich voor op een zondagmiddag toen zijn zwager Juan op bezoek was. Júbilo had Ramiro op zijn arm en het kind had nergens last van, maar toen Júbilo besloot een tequila met Juan te drinken, ging het kind als een razende tekeer, sloeg in het rond en trilde alsof hij werd aangevallen door een monster. Alsof het kind vermoedde dat zijn vader niet aanwezig was geweest bij zijn komst op aarde door de alcohol of alsof hij bang was dat de drank hen zou kunnen scheiden.

Eindelijk begreep Júbilo dat zijn zoon niet tegen alcohollucht kon en hij stopte meteen met drinken. Daardoor leidden ze een tijdje een normaal familieleven. Ramiro begon te lachen en was een waar genot in het gezin. Die maanden waren zo gelukkig dat ze het allemaal betreurden dat Lucha weer aan het werk moest. Het voordeel was dat Júbilo maar voor halve dagen werkte en Lucha met een gerust hart naar kantoor kon gaan omdat haar man thuis voor Ramiro zorgde. 's Middags als Júbilo naar de luchthaven moest, gingen Raúl en Ramiro naar de ouders van Lucha en daar haalde zij hen na haar werk weer op. Ondanks het nieuwe ritme genoot de familie van rustige dagen totdat een tragisch voorval hun leven meer op zijn kop zou zetten dan de geboorte van Ramiro.

Júbilo's werk bij de Mexicaanse Luchtvaartmaatschappij bestond uit het contact onderhouden met de piloten via een radiotelefonisch toestel en aanwijzingen geven over de weersomstandigheden en de start- en landingsbanen, maar de piloten gaven hem ook hun vluchtposities door.

Op een dag stond Júbilo in verbinding met een van de piloten met wie hij goed bevriend was toen de verbinding werd verbroken. Het vliegtuig was net opgestegen en Júbilo probeerde weer met hem in contact te komen maar dat lukte niet.

Even later verongelukte het vliegtuig en kwamen veel passagiers en ook de piloot om. Júbilo was helemaal kapot van de tragedie en voelde zich schuldig; maar hij had er niets aan kunnen doen. De directe oorzaak van de uitval waren zonnevlekken geweest.

Toen hij 's nachts thuiskwam lag Lucha al te slapen. Hoewel hij graag met haar over deze vreselijke ervaring had willen praten, vond hij het sneu haar wakker te maken. Hij deed de hele nacht geen oog dicht en 's morgens was er geen tijd om met haar te praten. Zijn vrouw moest zich wassen, aankleden, Ramiro de borst en Raúl te eten geven. Júbilo moest de baby verschonen, daarna de luiers in een emmer laten weken en de ontbijtboel afwassen. Hoe ze het ook probeerden, ze hadden geen moment tijd voor elkaar. Toen Lucha en Raúl waren vertrokken en Ramiro sliep, had Júbilo tijd om na te denken over wat er een paar uur daarvoor was gebeurd en hij raakte gedeprimeerd. Hij meldde zich ziek. Zo kon hij niet werken. Hij moest met iemand praten, zijn hart luchten, maar wilde liever een paar uur wachten voor hij naar het café ging en hij vroeg een van zijn schoonzusters of zij 's middags op de kinderen wilde passen dan kon hij zijn vrouw van haar werk halen en ergens met haar gaan eten. Leticia, zijn schoonzuster, vond dat verzoek niet zo vreemd. Die dag was het Lucha's verjaardag en ze vond het heel normaal dat Júbilo dat met zijn vrouw wilde vieren.

De collega's op kantoor waren ook op de hoogte, maar deden net of ze het niet wisten omdat ze als verrassing een feestje voor Lucha hadden gepland na het werk.

Don Pedro had een originele manier om Lucha's verjaardag te vieren. Hij had Lucha 's morgens vroeg laten komen met een heel speciaal verzoek. Hij moest een cadeau kopen voor een chique dame en omdat Lucha zich altijd had onderscheiden door haar goede smaak op gebied van kleding, was zij de aangewezen persoon om hem bij de aankoop te adviseren. Hij vroeg of ze in haar pauze met hem naar het Palacio de Hierro wilde gaan om een geschikt kledingstuk uit te zoeken.

Lucha had al spoedig een zijden sjaal uitgezocht. Je kon

zo wel zien dat hij bijzonder fijn en elegant was. Don Pedro vroeg de verkoopster hem als een cadeautje in te pakken. Het had ze niet veel tijd gekost. Don Pedro en Lucha gingen meteen terug naar kantoor en don Pedro pakte Lucha bij het oversteken bij haar arm. Op datzelfde moment kwam Júbilo de hoek om en zag het tweetal onbekommerd lachen. Don Pedro had een in cadeaupapier verpakte doos die versierd was met een grote rode strik in zijn handen.

Júbilo besloot in plaats van naar het kantoor te gaan rechtsomkeert te maken en een stukje te lopen om te kalmeren, omdat hij geen jaloerse scène wilde maken voor de ogen van zijn oud-collega's. Dat had hij niet hoeven doen, want toen hij een paar minuten later bij zijn vrouw kwam, zag hij haar met een sjaal in haar handen staan en op het bureau van zijn Lucha stond de doos die don Pedro even daarvoor in zijn handen had gehad, inwendig kookte hij van woede.

Júbilo, die de rust zelve leek, vroeg Lucha van wie ze die sjaal had gekregen en om hem niet kwaad te maken zei ze van Lolita. Ze vond het niet nodig te vertellen dat het een cadeautje van don Pedro was en nog minder wilde ze Júbilo eraan herinneren dat het haar verjaardag was en hij daar niet eens aan had gedacht of haar in ieder geval nog niet had gefeliciteerd. Júbilo was dat helemaal vergeten. Wie zou daar nu aan denken na die slapeloze nacht en zijn schuldgevoel! Aan de andere kant, ook al zou hij het niet vergeten zijn, dan had hij toch alleen bloemen voor zijn geliefde echtgenote gekocht en geen duur cadeau. Hij hield niet van dat soort liefdesuitingen, maar don Pedro wel en Lucha, die er al aan gewend was geen cadeaus te krijgen op haar verjaardag, voelde zich gestreeld toen don Pedro haar het ca-

deau gaf dat ze zonder dat ze het wist voor zichzelf had uitgezocht.

Voor Júbilo was dit het eerste teken dat don Pedro opnieuw achter zijn echtgenote aan zat, maar wat hem zo verontrustte was dat zij het deze keer wel leuk scheen te vinden,
waarom zou ze anders verzwijgen dat ze het cadeau van don
Pedro had gekregen?

Het drong niet tot Júbilo door dat de blijdschap van zijn
echtgenote meer het gevolg was van zijn komst naar het
kantoor dan door de sjaal. Het ontvangstapparaat van Júbilo scheen beschadigd. Zijn hersenen haalden de codes door
elkaar, verwarden de sleutels die ze van buitenaf ontvingen
en maakten er een onontcijferbare warboel van. Onder
normale omstandigheden werkte het brein van Júbilo heel
adequaat en begreep het waarom mensen altijd zeggen 'ik
haat je' in plaats van 'ik houd van je' en omgekeerd. Maar in
de huidige toestand werden de berichten die Lucha verzond
helemaal verkeerd uitgelegd. Voor hem was zijn echtgenote
een 'Enigmamachine', het apparaat dat de Duitsers hadden
ontworpen om tijdens de Tweede Wereldoorlog berichten
in code te versturen.

In het gewapende conflict fungeerde de radio als een funda-
menteel oorlogswapen. Via de radio werden berichten naar
de troepen aan het front gestuurd, maar met het risico dat
die makkelijk door de vijand onderschept konden worden.
Die had alleen maar een apparaat nodig dat was afgestemd
op dezelfde frequentie als de vijand.

Het Duitse leger, trouw aan zijn ijzeren discipline, verstuurde de berichten gewoonlijk op dezelfde tijd en de geal-
lieerden maakten daar gebruik van door een verbinding

met het signaal te maken om die berichten te kunnen afluisteren. Om dat te voorkomen werd er een codeermachine uitgevonden die de letters verwisselde. Deze codeermachine zag eruit als een gewone schrijfmachine, bij het typen werd elke letter vervangen door een andere met behulp van zesentwintig tandwielen die duizenden combinaties hadden. Je kon een bericht alleen maar ontcijferen als je de positie van de rotors aan het begin van het bericht kende, hetgeen bijna onmogelijk was.

Met behulp van de allerbeste wiskundigen lukte het een apparaat te maken dat leek op de 'Enigmamachine' van de Duitsers en daarmee konden de berichten gedecodeerd worden. Ze waren bij dit moeilijke en tijdrovende karwei afgegaan op de vele herhalingen van een letter in het bijzonder, tot ze erin geslaagd waren de 'Colossus' te ontwerpen, een telexapparaat dat zeer snel kon coderen en decoderen. Na de oorlog droeg dit apparaat, waar talloze uren aan was gewerkt, bij tot de snellere ontwikkeling van computers.

Je zou gerust kunnen zeggen dat het brein van Júbilo een veredelde codeermachine was, alleen was het nu ontregeld en haalde het berichten door elkaar. Zijn echtgenote was blij hem te zien en niet vanwege de sjaal. Dat was een groot verschil en hij wist het niet juist te interpreteren. De reden daarvan was dat voor de tweede keer in zijn leven de zonnevlekken volop in beweging waren en alle systemen van radiocommunicatie verstoorden. Júbilo had zowel privé als op zijn werk te lijden van de catastrofale gevolgen van dit fenomeen.

Gelukkig was Lucha's reactie op het verrassingsbezoek van haar man zo enthousiast dat Júbilo's jaloezie minder belangrijk werd. Ze omhelsde hem, overlaadde hem met kussen en nam meteen het initiatief om de vergeetachtigheid van haar man goed te maken: 'Ik wist wel dat je mijn verjaardag niet zou vergeten.'

Júbilo schrok ervan. Hoe had hij die datum nou kunnen vergeten! Sinds Lucha dertien was hadden ze die dag altijd samen gevierd, dus ook al was hij niet in zo'n feeststemming, toch probeerde hij zijn jaloezie en zijn problemen opzij te zetten om zijn echtgenote te trakteren zoals het hoorde. Hij nodigde haar uit om bij Café Tacuba te gaan eten en het diner daar bleek een krachtig afrodisiacum.

Café Tacuba had voor hen sentimentele waarde. Daar had Júbilo onder andere Lucha gevraagd met hem te trouwen, en daar had ze hem verteld dat hij voor de tweede keer vader werd. Dat ze aan dezelfde tafel zaten en bediend werden door dezelfde serveerster had een ontspannende uitwerking op Júbilo en was een van de doorslaggevende factoren dat hij zijn goede humeur weer terugkreeg. Tijdens de maaltijd sprak hij met Lucha over de vreselijke ervaring van de vorige avond en hij kreeg alle steun en begrip die hij zo hard nodig had. Met Lucha's hand in de zijne kon hij weer helder denken en klaarde de duisternis in zijn ziel op.

Langzamerhand begon de liefdesenergie tussen hen beiden te circuleren en ze maakten snel een einde aan het diner om naar huis te gaan. Ze wilden zich zo spoedig mogelijk overgeven aan de liefde. Júbilo gaf Lucha als verjaarscadeau de beste liefdesnacht die ze in haar leven had gehad en ooit zou krijgen. Het was een magische nacht. Ze vrijden als nooit tevoren.

Lucha en Júbilo werden pijnlijk maar stralend wakker, ondanks het feit dat ze bijna de hele nacht niet hadden geslapen. Lucha pakte snel de kleren die ze naar haar werk zou aandoen. Ze zorgde er zoals altijd voor de minst opvallende jurk uit te zoeken, die haar beschermde tegen de indiscrete blikken van haar chef. Ze gaf haar man een lange kus op zijn mond en rende de deur uit naar haar werk. Júbilo zorgde voor Raúl en Ramiro.

Vanaf dat moment voerde een reeks gebeurtenissen hen in sneltreinvaart van de hemel naar de hel.

Júbilo had al twee slapeloze nachten achter de rug: een door het vliegtuigongeluk en de andere door de liefde; maar die laatste gaf hem voldoende energie om zijn vermoeidheid te overwinnen en zijn werk beter aan te kunnen dan op andere dagen. Zijn batterijen waren zo opgeladen dat de vermoeidheid pas vat op hem kreeg toen hij 's avonds laat zijn voordeur opendeed.

Hij hoopte dat Lucha thuis was, maar vreemd genoeg was ze er niet. In plaats daarvan trof hij zijn schoonmoeder aan, die hem zo goed mogelijk uitlegde dat Lucha van kantoor had gebeld dat zij de kinderen niet kon ophalen en of zij zo vriendelijk wilde zijn om hen naar huis te brengen en hem uit te leggen dat ze laat thuis zou komen omdat er een noodgeval was op kantoor. Júbilo vond dat heel vreemd. Hij kon niet bedenken wat voor een soort 'noodgeval' dat zou zijn op het telegraafkantoor. Hij bedankte zijn schoonmoeder voor het oppassen en nam die taak meteen over. Nadat hij de kinderen naar bed had gebracht, ging hij ook naar bed en zette de radio aan. *La Hora Azul* was al begonnen. De stem van Agustín Lara klonk door de slaapkamer:

Zon in mijn leven
licht in mijn ogen

De liefde van don Júbilo

voel hoe mijn handen jouw gladde huid strelen
mijn arme handen, gebroken vleugels
in volle overgave onder jouw voeten

Het beeld van Lucha in volle overgave op het bed kwam
hem meteen weer voor ogen. Júbilo zag haar voor zich zoals
op de vorige avond was: vurig, hartstochtelijk en bezeten
van liefde. De gedachte aan de blik van Lucha die helemaal
in extase was wond hem enorm op. Wat een geweldige
vrouw had hij toch!
  Waar zou ze nu zijn? Waarom belde ze hem niet? Hij
maakte zich echt zorgen. Even later ging de telefoon. Het
was zijn schoonmoeder, die ook ongerust was. Zoiets had
haar dochter nog nooit gedaan. Júbilo zei om haar gerust
te stellen dat Lucha al thuis was en Ramiro de borst gaf.
Hiermee probeerde Júbilo zijn schoonmoeder te kalmeren,
maar ook te verhinderen dat ze hem opnieuw zou bellen,
want het geluid van de telefoon maakte hem nog zenuw-
achtiger dan hij al was. Hij probeerde naar de radio te luisteren om zijn negatieve gedachten kwijt te raken en sloot zijn
ogen om zich beter te kunnen concentreren.

zeg dat jouw rozenstruik voor mij groeit
geef me je glimlach die hoop uitspreekt
zeg me dat ik voor jou niet ben uitgebloeid
geef me rust in mijn ziel
kom, dan kleur ik mijn hutje met maneschijn
ik tel de uren van de nacht en zal er zijn
weet meisje, dat ik echt van je hou
denk daar aan, denk daar goed aan...

Degene die aan Lucha bleef denken was hij. De muziek had hem er alleen maar toe gebracht om opnieuw aan de vorige nacht te denken en hoe diezelfde liedjes als achtergrondmuziek hadden gediend bij het beminnen. Lucha! Zou zij ook aan hem denken? Hoe hij ook probeerde om niet aan iets naars te denken, het lukte niet. Hij vond het verdacht dat ze niets van zich liet horen. De enige reden zou kunnen zijn dat ze een ongeluk had gehad... of dat don Pedro haar mee uit genomen had.

Hij was op van de zenuwen. Om tot rust te komen nam hij eerst zijn toevlucht tot sigaretten en toen die op waren tot de drank, maar helaas werd Ramiro precies op dat moment wakker.

Het was etenstijd en zijn moeder was er niet om hem te voeden. Júbilo wilde hem een flesje met koemelk geven dat in de koelkast stond en terwijl hij dat warm maakte, had hij het kind op zijn arm zodat zijn gehuil Raúl niet wakker zou maken. Toen Ramiro de dranklucht van zijn vader rook, zette hij het op een brullen en was niet meer stil te krijgen. Júbilo deed wat lotion op, spoelde zijn mond, zoog op mentholpastilles en was uren met zijn zoon in de weer tot hij hem ten slotte weer in slaap kreeg. Hij legde hem in de wieg en ging zelf weer op bed liggen. Door de alcohol en de vermoeidheid van twee slapeloze nachten viel Júbilo een paar minuten lang in een diepe slaap. Niet lang, maar lang genoeg voor Ramiro om weer wakker te worden, de deken waarmee zijn vader hem had toegedekt over zich heen te trekken en te stikken.

Júbilo werd wakker door het geschreeuw van Lucha die net was thuisgekomen en voordat ze naast Júbilo in bed wilde kruipen het kind een nachtkusje had willen geven en tot de ontdekking was gekomen dat hij dood was.

Tussen de algehele ontreddering en het gehuil van Lucha door lukte het Júbilo te vragen: 'Wat is er aan de hand?'

'Ramiro is dood.'

Júbilo kon het niet bevatten, ging naar zijn vrouw die tegen de muur sloeg en probeerde haar bij de armen te pakken zodat ze zich niet zou bezeren. Lucha liet zich eerst door haar man omarmen, maar toen ze de bekende dranklucht rook, die sterker was dan de lotion, duwde ze hem woest van zich af.

'Ben je dronken? Heb je daarom het kind niet gehoord?'

Lucha koelde haar woede op Júbilo en sloeg hem waar ze maar kon. Júbilo bood geen weerstand en voelde dat hij dat had verdiend en wel meer ook. Hij voelde zich schuldig, zo schuldig dat hij zich er geen raad mee wist en besloot alles er in één keer uit te gooien.

'En jij, waar zat jij? Waarom heb jij je zoon niet gehoord? Speelde je voor hoer?'

Lucha hield op met huilen. Ze wist niet wat ze hoorde. Het kon niet waar zijn dat Júbilo zoiets tegen haar zei en nog wel op zo'n moment. Ze maakte zich langzaam van hem los en sloot zich op in de badkamer. Op weg daarnaartoe pakte ze Raúl die slaperig naar zijn ouders toe kwam. Lucha deed de badkamerdeur op slot. Ze wilde Júbilo niet zien. Ze had geen zin om hem uit te leggen dat ze zo laat was omdat don Pedro Lolita had verkracht. Dat ze met haar naar de dokter was geweest en pas bij haar was weggegaan toen ze thuis wat gekalmeerd was. Ze was te moe om te praten. Sterker nog, vanaf die dag besloot ze dat ze Júbilo niets meer te zeggen had.

Door de dood van zijn zoon stortte Júbilo's wereld in. Dat hij hem niet had gehoord was het ergste wat hem had kunnen overkomen.

Hij, die een speciale gave had om alles te horen, van rumoer tot rust, begreep niet wat er was gebeurd.

Hij, die vond dat er geen stilte bestond, was een paar minuten doof geweest.

Hij, die wist dat hoe stil het in de atmosfeer ook is, er altijd harten kloppen, planeten ronddraaien in het heelal, lichamen ademen, planten groeien en geluid maken, hij had niets gehoord!

Hij had niets gehoord!

Van jongs af aan had Júbilo gemerkt dat niet alle mensen hetzelfde als hij konden horen, het geritsel, gezoem en geknetter was voor de meeste mensen niet te horen maar voor hem waren het schelle geluiden.

Voor Júbilo waren zelfs de insecten die langskropen te horen. Als ze op het strand gingen spelen, vroeg hij zijn grootmoeder: 'Hoor je hoe het zand zingt?' En dan bedoelde hij het geluid van de minuscule zandkorreltjes die werden bewogen door de wind. Dit 'gezang' is heel soms te horen in uitgestrekte duinen, maar nooit op een strand, toch waren de intonaties van het zand voor Júbilo heel duidelijk.

Ongetwijfeld had Júbilo een gehoor dat geschikt was om kortegolffrequenties te horen, wat zelfs moderne apparaten niet konden. Dit vermogen had hem vaak in de problemen gebracht, want in de loop der jaren was de stad overspoeld geraakt met ronkende-vrachtwagengeluiden. Dat stoorde hem, vulde zijn oren met sissende geluiden waarvan hij soms zelfs hoofdpijn kreeg. En waar was dat goed voor geweest? Hij had niet eens zijn eigen zoon gehoord terwijl die de dood vond!

'Papa, luister je…?'
'Misschien hoort hij je niet.'
'Heb je hem een kalmeringsmiddel gegeven?'
'Nee, een pijnstiller, want hij had last van zijn maag en is toen in slaap gevallen…'
'Papa, wakker worden, jochie, mama is op bezoek…'
Don Júbilo deed meteen zijn ogen open. Hij kon zijn oren niet geloven. Lucha was hier. Zijn hart ging als een razende tekeer, zijn maag trilde en deed weer pijn. Jarenlang had hij op dit moment gewacht.

Lluvia was ook verbaasd. Ze had mama vaak gevraagd om haar vader eens op te zoeken, maar dat had ze altijd pertinent geweigerd. Het was heel bijzonder dat ze onaangekondigd naar haar huis was gekomen. Voorzover Lluvia zich herinnerde hadden haar ouders sinds haar trouwdag, dertig jaar geleden, niet meer met elkaar gesproken. Van jongs af aan wist ze dat haar ouders langs elkaar heen leefden, zelfs in aparte kamers sliepen. Lluvia had papa weleens gevraagd waarom hij niet was gescheiden, waarop hij antwoordde dat in die tijd een man nooit de ouderlijke macht over de kinderen kreeg en dat hij echt niet van zijn kinderen gescheiden wilde worden. Voor Lluvia was dat een zwak argument, maar ze had verder niet aangedrongen.

Ook al klinkt het vreemd, zij begreep dat haar ouders die vreemde relatie hadden omdat ze ondanks de uiterlijke verwijdering een grote liefde voor elkaar voelden. Hoe dan ook, ze was dankbaar dat ze de kans had gekregen haar vader in huis te nemen, hoewel buitenstaanders het maar een vreemde relatie vonden.

Tijdens haar bruiloft hadden haar ouders elkaar voor de laatste keer gezien en nu zagen zij elkaar weer in haar huis en Lluvia kon niet anders dan dolblij zijn met deze gelegenheid.

Toen haar moeder vertrouwd was gemaakt met de manier waarop haar vader 'sprak' via de computer zei Lluvia: 'Nou, ik geloof dat jullie heel wat te bepraten hebben.'

Waarop haar moeder zei: 'Inderdaad.'

Voordat ze de deur dichtdeed kon Lluvia horen dat mama tegen papa zei: 'Ik haat het je te haten, Júbilo.'

IX

Lucha kwam later maar gelukkiger dan ooit op haar werk en ze wist niet dat dit de laatste volmaakt gelukkige dag van haar leven zou zijn. Vanaf die dag zou alles veranderen, maar daar leek die ochtend nog geen sprake van te zijn. Bovendien straalde de wereld Lucha meer dan ooit met een roze glans tegemoet. Ze was smoorverliefd op haar echtgenoot ondanks het feit dat ze al tien jaar waren getrouwd. Ze had zoiets nooit voor mogelijk gehouden en nog minder dat ze in het liefdesspel nog meer nieuwe variaties zou leren. Júbilo was een fantastische minnaar. De avond ervoor hadden ze nieuwe standjes ontdekt die zelfs niet in de Kama Sutra voorkwamen. Ze had daarmee diverse waanzinnige orgasmen beleefd. Zo'n nacht was het tien jaar lang krap bij kas zitten zeker waard. Al die kleine huwelijksproblemen van Júbilo en Lucha vielen in het niet bij haar krankzinnige verliefdheid. Zelfs de recente drankzucht van Júbilo leek geen onoverkomelijk bezwaar, want Lucha wist zeker dat die van voorbijgaande aard was en dat Júbilo alleen maar dronk om zijn problemen te vergeten, een man als hij moest het vreselijk vinden om zijn gezin niet te kunnen onderhouden.

Soms voelde Lucha zich schuldig dat ze zoveel van hem verlangde. Ze hoopte alleen dat Júbilo doorhad dat het haar niet om het geld op zich ging, maar om het feit dat ze daarmee haar gezin een fatsoenlijk leven kon bieden. Maar zij was niet de enige die twijfelde of ze het wel goed deed. Lolita had haar al een paar keer gezegd dat ze misschien wel te veel van Júbilo eiste en haar verweten dat ze zoveel ambieerde in het leven. Lucha nam haar dat niet kwalijk. Ze wist dat ze het goed bedoelde en eerlijk voor haar mening uitkwam.

Lolita was een gelaten vrouw die niets van het leven verwachtte. Ze kwam als eerste op kantoor en ging als laatste weg. Ze deed zwijgzaam haar werk. Ze gedroeg zich nooit onbezonnen of onfatsoenlijk. Ze was bescheiden, tactvol, schuchter, preuts en heel erg beleefd. Ze wilde het de anderen zo graag naar de zin maken dat ze nooit een verkeerde opmerking plaatste, doodsbang dat ze haar niet meer mochten.

Toen ze nog klein was waren zij en haar moeder door haar vader in de steek gelaten en ze had er alles voor over, zelfs een onderdanige houding, om zoiets niet nog een keer mee te maken. Maar ze wilde zo graag aardig gevonden worden dat mannen juist daarom niets van haar wilden weten. Ze had nooit een vriend gehad en werd altijd verliefd op mannen die dat niet op haar waren.

Lucha mocht Lolita erg graag en respecteerde haar, ook al wist ze dat ze een platonische verliefdheid had opgevat voor Júbilo. Ze maakte daar geen probleem van. Er was immers geen aardiger en liever mens dan Júbilo. Toen ze nog met zijn drieën werkten kon Lucha genieten van de blik waarmee Lolita af en toe naar haar man keek en het had haar nooit gestoord, integendeel, ze was er trots op. Ze zocht er dan ook niets achter dat haar goede vriendin Júbilo door dik en dun verdedigde en dat ze zo bezorgd was om wat Lucha en Júbilo doormaakten. Lucha kon Lolita in vertrouwen nemen en stelde het op prijs dat ze oprecht met hun problemen meeleefde. Tijdens hun gesprekken bleek alleen dat Lolita Lucha's standpunt over de huishoudfinanciën niet snapte. Lucha's ouders hadden haar heel apart opgevoed wat geld en geld uitgeven betrof. Ze besefte goed wat je met geld kon kopen en gaf het dan ook makkelijk uit. Dat betekende niet dat ze koopziek was, o nee, absoluut niet. Geld was belangrijk, dat wist ze, het gaf je onder meer een gevoel van zekerheid. Dat je rustig in een huis kon wonen dat goed bestand was tegen regen, aardschokken en kou. Ze wilde vooral over geld beschikken om haar kinderen naar een goede school te sturen, want ze was ervan overtuigd dat ze met een betere opleiding hun gezin, als ze gingen trouwen, meer financiële zekerheid konden bieden. Daarom had Lucha zich in de eerste maanden van haar huwelijk bij Júbilo zo onbeschermd gevoeld. Voor het eerst had ze met geldgebrek te maken gekregen en dat vond ze verschrikkelijk. Gelukkig kwam ze er al vlug achter dat ze het nooit beter zou treffen dan met Júbilo en dat het gebrek aan geld opgelost kon worden door te gaan werken en samen met haar man het huishouden te bekostigen.

Sinds ze haar baan had, ging alles veel beter. Hun huwelijk was hechter dan ooit en Júbilo's stemming zou onmiddellijk verbeteren als hij een nieuwe baan kreeg, bovendien wilde zij hem in alles helpen en ervoor zorgen dat iedere verdiende cent goed werd besteed.

Als Lucha iets kocht wilde ze het beste, niet alleen het mooiste maar ook het duurste. Het stond voor haar vast dat goedkoop duurkoop was. Ze hield er bovendien een bijzondere theorie over schoonheid op na; ze vond dat een schone, aangename en harmonische omgeving de geest op een hoger plan bracht. Lucha bezat de bijzondere gave om bij het binnenstappen van een winkel er meteen de kostbaarste spullen uit te halen. Ook al vielen ze niet op tussen al die andere, haar ontgingen ze niet. Altijd viel haar oog op de mooiste jurk die helaas voor haar de duurste was. Ze hoefde niet lang na te denken om voor die dure jurk te kiezen, omdat ze met haar geld beter goede kwaliteit kon kopen, want die goedkopere kleding verkleurde vaak of kromp al bij de eerste wasbeurt.

Als ze een meubelzaak binnenging gebeurde precies hetzelfde. Ze viel altijd op het duurste meubelstuk, van het beste hout en het mooist afgewerkt. Ze wist uit ervaring dat die het langst meegingen en eveneens dat de beste drank de minst schadelijke voor je lichaam was. Ze had oog voor materiële zaken maar ook mensenkennis. Al bij de eerste kennismaking met Júbilo had ze hem gewaardeerd om zijn goede karakter en zijn knappe uiterlijk. Hij was intelligent en gevoelig, had veel gevoel voor humor, was tactvol in de omgang, hartstochtelijk in bed, respectabel, hoffelijk, hij was een unieke man! Lucha vond het bijna om te lachen dat Júbilo jaloers zou zijn op don Pedro. Lucha zou NOOIT kunnen vallen op iemand die sociaal, geestelijk en fysiek op zo'n laag niveau stond. Hij was in alle opzichten het tegendeel van het licht, de harmonie en de goede smaak die Júbilo uitstraalde. Hij was onbetrouwbaar, lelijk, onaantrekkelijk, grof, onbeleefd, uitgekookt, opdringerig, amoreel, platvloers, had geen flauw benul van fatsoen en nog minder van goede omgangsvormen of respect voor vrouwen. Ze wilde er zeker niet op achteruitgaan. En don Pedro was niet goed bij zijn hoofd als hij dacht haar met een miezerig sjaaltje te kunnen kopen. Lucha keek wel uit om Júbilo en haar kinderen op te geven voor zo'n verachtelijk figuur. Hij was maar een minne vent met geld. Als ze alleen op geld uit was, dan had ze dat allang en overvloedig van haar chef kunnen krijgen. Maar daar ging het haar niet om. Ze had een hoger doel voor ogen. Zij wilde de rest van haar leven met Júbilo doorbrengen en net zo verliefd als tot nu toe, als de vorige nacht! Bij de gedachte aan wat Júbilo en zij in bed hadden gedaan begon ze te blozen.

Haar chef, die voor haar bureau stond, bracht haar terug in de werkelijkheid. Don Pedro was beledigd omdat Lucha de vorige middag van kantoor was weggegaan zonder hem zelfs maar gedag te zeggen, maar wel met de sjaal om haar hals die hij haar had gegeven en die zo duur was geweest! Hij was nog het meest gekrenkt door de verliefde blik waarmee ze naar haar echtgenoot had gekeken. Hij had nog nooit bij iemand zo'n blik kunnen oproepen, laat staan bij een vrouw als Lucha, en was vastbesloten die vrouw hoe dan ook te krijgen en zodoende het geld van de sjaal eruit te halen.

Don Pedro vond alle vrouwen ondankbare wezens die mannen alleen maar probeerden geld af te troggelen, maar hij zou ze wel leren hoe ze een man als hij moesten behandelen en respecteren. Hij was het zat dat Lucha de spot met hem dreef. Het werd de hoogste tijd haar eens onder handen te nemen. Hij was ziedend en wilde tegen elke prijs Lucha's verzet breken. Hij ergerde zich mateloos aan de kille en afstandelijke houding die ze tegenover hem aannam. Hij had al van alles geprobeerd maar zonder succes. Hij moest van tactiek veranderen als hij haar in zijn bed wilde krijgen.

Hij vond dat ze hem al genoeg geld had gekost en dat het tijd werd dat de bloemen, de bonbons en die sjaal terugbetaald werden. Hij had er genoeg van door haar genegeerd en veracht te worden, hij had die dag geprobeerd haar te beledigen maar Lucha had het niet eens gemerkt. En het toppunt was wel dat het ondankbare kreng het had gepresteerd om te laat te komen! Daarom had hij haar voor straf ontzettend veel brieven laten opstellen. Bijna iedereen was al weg, het kantoor was zo goed als verlaten.

'Bent u al klaar?'

'Bijna.'

'Ach, Luchita, gisteren hebt u me niet eens gedag gezegd, u was zo vlug weg. Ik had u mee uit eten willen nemen.'

'Heel vriendelijk aangeboden van u, maar zoals u weet ben ik getrouwd en ik ging mijn verjaardag met mijn echtgenoot vieren.'

'Ik hoop dat hij goed voor u is geweest.'

'Ja, heel goed.'

'Heeft hij u een cadeau gegeven?'

'Het mooiste.'

'Mooier dan de sjaal die ik u heb gegeven?'

'Zal ik u eens wat zeggen, don Pedro? Ik vind dat een hele smakeloze vraag en ik raad u aan die niet meer te stellen, tenminste, als u ooit in de betere kringen wilt verkeren.'

'U denkt echt dat u een hele dame bent, nietwaar?'

'Ja, dat ben ik ook.'

Don Pedro had het liefst die minachtende, superieure blik waarmee Lucha hem aankeek van haar gezicht geslagen en Lucha had het liefst meteen opgezegd. Ze liet zich niet graag kleineren. Niets daarvan! Ze zat nog steeds krap bij kas, maar ze was niet meer zwanger en zou gemakkelijk een andere baan kunnen vinden, zelfs een beter betaalde en een waar ze niet met zulke idioten te maken had. Maar ze gaven beiden niet toe aan hun eerste opwelling. Don Pedro pikte de belediging, draaide zich om en schreeuwde voor hij zijn kantoor binnenging: 'Lolita, kom naar mijn kantoor, alsjeblieft!'

In plaats van de brieven af te maken die voor haar lagen begon Lucha haar ontslagbrief op te stellen. Ze had haar besluit al genomen, maar ze zou het doen zoals het hoorde en niet impulsief. Ze was niet voor niets welopgevoed en intelligent. Toen ze klaar was met de brief borg ze hem op in een la, pakte haar tas en verliet het kantoor.

Voor ze naar huis ging wilde ze voor Júbilo brood van Café Tacuba meenemen om de heerlijke smaak van de vorige nacht nog even te laten voortduren. Op weg naar de auto schoot haar te binnen dat ze de autosleutels op haar bureau had laten liggen. Lucha liep terug. Onwillekeurig moest ze glimlachen om haar verstrooidheid, ze was net een verliefde puber.

Toen ze het kantoor binnenkwam zag ze dat er niemand meer was, de bureaus waren leeg en het was stil. Lucha's stappen weerklonken door het hele gebouw. Het licht in don Pedro's kantoor brandde nog. Lucha liep op haar tenen zodat haar chef haar niet zou horen. Ze wilde niet alleen met hem zijn.

Toen ze zo voorzichtig mogelijk met haar vingertoppen de sleutels pakte, hoorde Lucha in het kantoor van don Pedro een vrouw snikken. Ze bleef een paar seconden roerloos staan om er zeker van te zijn dat ze het goed had gehoord en ja, het was inderdaad gesnik. Lucha raapte al haar moed bijeen, deed de deur open en zag Lolita ineengedoken in een hoekje zitten huilen.

Lucha rende naar haar toe en begreep met afgrijzen wat er was gebeurd. Lolita's kleren waren gescheurd en haar kousen zaten onder het bloed, zijzelf verkeerde in een shocktoestand en toen ze Lucha zag klampte ze zich aan haar vast en begon wanhopig te schreeuwen. Ze zei dat don Pedro haar had verkracht en smeekte haar het tegen niemand te zeggen omdat ze zich doodschaamde als anderen, en met name Júbilo, het zouden horen. Lucha deed haar uiterste best haar vriendin te troosten en haar te overreden een aanklacht tegen don Pedro in te dienen op het politiebureau, maar dat wilde Lolita in geen geval. Ze zou niet tegen het geklets van de mensen kunnen. Toen probeerde Lucha haar over te halen naar een ziekenhuis te gaan maar ook dat wilde ze niet. Uiteindelijk kreeg ze haar zover dat ze meeging naar haar broer Juan, de arts, zodat hij haar kon behandelen. Lolita ging alleen akkoord als Lucha bij haar bleef.

Daar hield Lucha zich aan, ze bleef haar hand vasthouden en haar tranen afvegen tot ze haar in bed had gestopt. Ze moesten Lolita's moeder maar vertellen dat haar dochter bruut was overvallen en daarom zo laat en in die toestand uit haar werk kwam.

Lucha kwam uitgeput thuis. Ze was erg aangeslagen door wat er met Lolita was gebeurd. Ze had nooit kunnen denken dat haar een nog grotere tragedie te wachten stond.

Ramiro's dood was het einde van alles waar haar leven om draaide: haar gezin en haar liefde voor Júbilo.

Don Pedro had die avond niet alleen Lolita van haar maagdelijkheid beroofd, maar ook haar eigen huis en het beeld dat Lucha en Júbilo van elkaar hadden geschonden. Hoe kon Júbilo aan haar fatsoen twijfelen! Lucha meende dat Júbilo de enige op de wereld was die haar door en door kende. Als er iemand was aan wie ze haar volle vertrouwen, haar intimiteit, haar begeerte en haar ontelbare verlangens had geschonken, was hij het wel. En ineens besefte ze dat de zeventien jaar dat ze elkaar kenden helemaal niets meer voorstelden. Met één zinnetje had Júbilo aan alles een eind gemaakt. Hoe had hij haar voor hoer kunnen uitmaken? Hij kende haar toch? Ze had hem toch niet zomaar haar lichaam en haar ziel gegeven?

Het was onbegrijpelijk dat degene die zij het meest vertrouwde en van wie ze dacht dat hij onvoorwaardelijk van haar hield degene was die haar hele wereld liet instorten, die volgens haar onaantastbaar en onvergankelijk was. Het was onverdraaglijk dat de enige man die in haar ogen anders was dan al die anderen hetzelfde bleek te zijn. Lucha besloot zich nooit meer door hem of welke andere man ook te laten kwetsen. Ze wilde niets meer van mannen weten.

De dag na Ramiro's begrafenis zei ze tegen Júbilo dat ze wilde scheiden. Ondanks het feit dat Júbilo diep terneergeslagen was, vroeg hij haar nog enkele dagen te wachten met die beslissing, maar Lucha wilde zijn argumenten horen noch accepteren. Ze had geen hart meer, dat had ze naast Ramiro begraven. Ze had het gevoel dat ze het hadden vermoord evenals don Pedro.

Diezelfde dag had op de voorpagina van de kranten een bericht gestaan: 'Met hetzelfde wapen waarmee zijn jonge minnares werd gedood is hij nu door een andere minnares vermoord.'

Het was het verslag van de moord op don Pedro door een mysterieuze vrouw en het luidde:

Zijn leven draaide om hanengevechten en vrouwen. De directeur van het Telegraafkantoor werd vanmorgen samen met een van zijn huidige minnaressen dood aangetroffen in een hotel aan het Plaza de Garibaldi. Een schot met een pistool kaliber 44 van het type Villa maakte een einde aan zijn leven. Met datzelfde wapen had hij jaren terug een jonge minnares gedood, maar dankzij zijn geld en invloed ging hij vrijuit. Pedro Ramírez kwam vanuit het niets in de politiek. Hij begon zijn carrière in de jaren van oorlog tussen Kerk en Staat toen het gerucht ging dat hij in wapens handelde. Hij bekleedde verschillende functies binnen de overheid met als belangrijkste die van gedeputeerde voor de federalisten voor de staat Puebla. Volgens het eerste onderzoek verliet Pedro Ramírez vrijdagavond zijn kantoor en ging in gezelschap van enkele vrienden naar El Colorín, een bekende nachtclub aan het Plaza Garibaldi. Aan zijn riem droeg hij zijn onafscheidelijke kaliber 44 waarmee hij vanmorgen vroeg werd gedood. Het personeel van de club verklaarde dat don Pedro een trouwe klant was en altijd in gezelschap van vrouwen. Volgens de officiële rapporten verliet don Pedro de nachtclub in de kleine uurtjes om naar een motel te gaan. Hij werd vergezeld door twee jonge vrouwen met wie hij de nacht wilde doorbrengen. Al snel voegde zich onderweg een derde vrouw bij hen. Ze had een heftige woordenwisseling met Pedro Ramírez en tijdens het handgemeen ging het wapen af en werd hij gedood. De mysterieuze vrouw maakte zich snel uit de voeten en niemand kon een duidelijke beschrijving van haar geven. Ze was daar nog nooit gesignaleerd en men kon alleen vertellen dat ze heel goed gekleed was. Er zijn nog veel onduidelijkheden in deze moordzaak.

Wanneer een kind sterft blijven veel vragen onbeantwoord en des te meer wanneer er sprake is van schuldgevoelens bij de ouders. Wat zou er gebeurd zijn als ik niet in slaap was gevallen? Had ik het kind kunnen redden als ik thuis was geweest? Zou mijn zoon nog in leven zijn als ik niet had gedronken? Bestaat er een God die straft? Wat heb ik misdaan om zo gestraft te worden? Ben ik wel in staat om voor mijn gezin te zorgen en het te beschermen? Hoe kun je zo'n nalatigheid vergeven? Hoe kun je verraad te boven komen?

Ieder had zijn eigen twijfels maar het stond vast dat Lucha en Júbilo geen vertrouwen meer in elkaar hadden. De tragedie had daar een eind aan gemaakt. Ze konden elkaar niet eens meer recht in de ogen kijken. Het verdriet om de dood van hun zoon was ondraaglijk en alleen al door de aanwezigheid van de ander werd de herinnering eraan levend gehouden.

Sommigen menen dat als je van elkaar houdt je elkaar moet vergeven, maar veel mensen vinden van niet omdat ze eenvoudigweg niet kunnen vergeten wat er is gebeurd. Júbilo kon niet vergeten dat hij op het kind moest letten toen het stierf en evenmin dat een goedgeklede vrouw diezelfde rampzalige nacht don Pedro in een vlaag van jaloezie had vermoord. Lucha kon niet vergeten dat Ramiro door Júbilo's nalatigheid was gestorven en nog veel minder dat 'de fout' het gevolg was geweest van drank.

Om te kunnen vergeven moet je accepteren dat iets niet teruggedraaid kan worden en geen van beiden was daartoe in staat omdat hun schuldgevoel dat belemmerde. Lucha geloofde dat als zij niet zoveel van Júbilo had gevraagd hij zich nooit zo nutteloos zou hebben gevoeld en was gaan drinken. Ramiro was gestorven omdat Júbilo in slaap was gevallen, maar als zij thuis was geweest, zou zij haar kind hebben gehoord.

Júbilo meende dat als hij genoeg geld had kunnen verdienen, Lucha niet had hoeven werken en niet met don Pedro in aanraking was gekomen en door hem was ingepalmd, dat was tenminste wat hij vermoedde.

Alleen met de jaren zou hun geest kunnen helen maar daarvoor moesten ze eerst van hun twijfels worden verlost en het duurde tweeënvijftig jaar, een Azteekse zonnecyclus, voor ze weer over die bewuste nacht konden praten en er een einde kwam aan hun vragen. Maar nu kon geen van beiden helder denken, ze probeerden voortdurend het onaanvaardbare aannemelijk te maken, wat troost te vinden, van hun schuldgevoelens verlost te worden, en zo goed mogelijk te leven met de vreselijke herinnering aan wat er was gebeurd.

Het nieuws van Lucha's nieuwe zwangerschap kwam dan ook als een volledige verrassing en wierp nieuwe vragen op. Ze zaten midden in hun scheiding en Júbilo vond het geen gelukkig moment voor nog een kind. Lucha dacht er echter anders over. Dat kind was haar houvast, de tastbare herinnering aan de liefde die er tussen hen was geweest, dat al die jaren de moeite waard waren geweest en ze wilde koste wat kost het kind houden.

Lucha besloot dat het kind alleen van haar zou zijn. Ze wilde het niet delen met Júbilo. Ze zette alles op alles om de scheiding zo vlug mogelijk te regelen, al was haar hele familie ertegen, die haar tot kalmte maande. Ze wilde in alle rust dat toekomstige kind, resultaat van de mooiste liefdesnacht van haar leven, de nacht voor Ramiro's dood, knuffelen en wiegen.

Met deze nieuwe zwangerschap gaf het leven haar iets terug van wat haar zo meedogenloos was afgepakt. Zo wilde ze het zien. Eigenlijk zou ze de goden dankbaar moeten zijn voor hun hulp. Om te beginnen hadden ze don Pedro uit de weg geruimd en haar leven daardoor iets draaglijker gemaakt. Die ellendeling had zijn verdiende loon gekregen, maar Lucha snapte niet waarom ze Ramiro ook hadden weggehaald en ook al probeerden ze haar te troosten met een nieuw kind, begrijpen zou ze het nooit.

Júbilo had er moeite mee dat hij voor de derde keer vader werd. Hij was lamgeslagen, leeg, en durfde zich niet aan zijn nieuwe kind te vertonen en te zeggen: Kijk, ik ben je vader. Ik heb je op de wereld gezet en van mij wordt verwacht dat ik je voed en kleed, maar wil je wel geloven dat ik geen cent heb. Ook word ik geacht op je te passen en van je te houden, maar eerlijk gezegd ben ik daar niet zo goed in, ik moet zo nodig drinken en in slaap vallen terwijl mijn kinderen stikken. Ik denk niet dat ik de geschikte persoon ben, ik kan niet op je letten als je slaapt, ik ben daar niet goed in, ik laat je misschien wel doodgaan.

Júbilo vond dat hij niet eens op zichzelf kon passen. Hij was een en al verwijt. Uit angst om anderen pijn te doen wilde hij als mens niet meer meetellen, elk contact met de buitenwereld verbreken en zijn geweten uitschakelen. Het deed hem pijn wakker te worden, Raúl te zien, naar Lucha te kijken, de bloemen in zijn tuin te ruiken, te lopen en te ademen. Hij wilde alleen nog maar dood. Eindelijk verlost worden van zijn fysieke lichaam, emotioneel had het immers al afgedaan. En zo besloot hij voor altijd zijn intrek te nemen in het café. Niet meer lijden, geen strijd meer leveren. Daar vergat hij alles en iedereen. Het enige wat hij hoefde te doen was de fles aan zijn mond zetten. Hij bracht de hele dag door met drinken en 's nachts lag hij voor het café, ongewassen, hongerig en om geld bedelend voor nog meer drank. Zijn onafscheidelijke makker was Chueco López. Hij maakte hem wegwijs in het zwerversbestaan. Wanneer het café open was gingen ze daar naar de wc om hun behoefte te doen, maar als het dicht was moesten ze naar de wc in de Sagrada Familia, de kerk waar Lucha en Júbilo jaren geleden waren getrouwd. Iedereen in de buurt was begaan met Júbilo en gaf hem meteen geld als hij erom vroeg. Ze mochten hem graag omdat ze allemaal op de een of andere manier bij hem in het krijt stonden en niet konden weigeren, ook al wisten ze dat Júbilo het meteen weer aan drank uitgaf. Iedereen was op de hoogte van de dood van zijn zoontje en begreep zijn wanhoop. Sommigen probeerden met hem te praten en hem te helpen, maar Júbilo luisterde niet meer, alleen de drank telde nog. Hij takelde fysiek en geestelijk snel af. Hij maakte allerlei ellende mee. Hij werd overvallen en van zijn jas en schoenen beroofd, maar hij merkte het niet eens. Soms werd hij 's morgens onder het braaksel wakker, dan weer helemaal bevuild en nog vaker in elkaar geslagen. Zijn benen zwollen op, zijn voeten zaten vol kloven en zijn hart bloedde dag en nacht.

Dit ging zo tweeënvijftig dagen door. Voor de Azteken was tweeënvijftig een belangrijk getal omdat de twee cijfers samen zeven zijn. In een jaar ging zeven maal het cijfer zeven waardoor de tweeënvijftig werd opgevat als een complete levenscyclus.

Die periode van tweeënvijftig dagen dat Júbilo aan de

drank was moest hij doorkomen om te beseffen dat hij eigenlijk niet wilde sterven. Dat werd hem duidelijk op de dag dat zijn zwager Juan hem kwam halen. Júbilo kon niet meer overeind komen. Toen hij Juan zag klampte hij zich aan hem vast en smeekte: 'Help me, *compadre!*' Juan bracht hem naar een ziekenhuis waar Júbilo aan zijn herstel begon. Het was een langzaam en pijnlijk herstel waarbij hij afstand moest leren nemen van zijn leed. Eerst moest Júbilo van de drank afblijven; vervolgens moest hij zijn benen en zijn armen weer leren bewegen en ten slotte moest zijn hele lichaam weer gaan functioneren, maar zijn familie proberen terug te winnen was ongetwijfeld het moeilijkst.

Toen hij uit het ziekenhuis kwam, was Lucha al zeven maanden in verwachting. Zij had een nieuwe baan bij de Nationale Loterij naast haar werk op het telegraafkantoor, want door don Pedro's dood had ze geen ontslag hoeven nemen. Ze was mooier dan ooit maar wilde niets van Júbilo weten. Ze vond het fijn dat hij weer was hersteld, sterker nog, zij was het die haar broer Juan had verteld waar Júbilo uithing en dat had Lucha weer van een buurvrouw gehoord. Ze had zijn herstel belangstellend van een afstand gevolgd en zo wilde ze het houden, hij moest ver van haar en haar kinderen blijven.

Het kostte Júbilo enorm veel moeite om de draad weer op te pakken, een baan te krijgen en zijn echtgenote ervan te overtuigen dat hij voor hun huwelijk wilde vechten. De ouders van Lucha speelden een belangrijke rol in die periode. Ooit hadden ze hun dochter afgeraden met Júbilo te trouwen en nu probeerden ze haar op alle mogelijke manieren over te halen hem te vergeven en weer thuis te laten komen, want ze hielden van hem als van hun eigen zoon. Al die jaren had Júbilo laten blijken een hart van goud te hebben en zijn schoonmoeder was zijn trouwste bondgenote geworden. Ze kreeg er nooit genoeg van hem te verdedigen en de hemel in te prijzen, tot Lucha zich eindelijk liet vermurwen en toestemde in een gesprek met hem, maar alleen omdat hij nog steeds haar echtgenoot was, want volgens de wet konden ze niet scheiden zolang Lucha zwanger was.

Júbilo zag er piekfijn uit toen hij bij Lucha arriveerde. Zijn schoonouders hadden Raúl mee naar hun huis genomen zodat zij ongestoord konden praten.

Zodra Lucha en Júbilo elkaar zagen wilden ze in elkaars armen vliegen, maar geestelijk waren ze er nog niet aan toe. Júbilo was mager geworden, maar hij deed Lucha denken aan die vijftienjarige jongen die ze op haar dertiende voor het eerst had gezien. Lucha zag er stralender uit dan ooit. Haar dikke buik wond Júbilo enorm op. Na lang gepraat en veel gehuil vroeg Júbilo of hij haar buik mocht zien. Lucha trok haar positiejurk omhoog zodat Júbilo haar kon bewonderen en uiteindelijk belandden ze innig omstrengeld in bed.

Een hevige regenbui barstte los en deed de kamer naar natte aarde geuren. In Lucha's armen en luisterend naar de regen voelde Júbilo duidelijk hoe de ziel in zijn lichaam terugkeerde. De regen herinnerde hem eraan dat hij dood was geweest, dat zijn geest maanden geleden naar een hogere hemel was vertrokken en nu terugkwam om zijn plaats op aarde in te nemen.

De regen was de wederopstanding van die waterdruppels die eerst verdampt en van de wereld waren verdwenen, daarna in de lucht weer vorm kregen en op aarde terugkeerden. Het geluid van de regendruppels en het kind in Lucha's buik waren voor Júbilo de mooiste lofzang op het leven. Hij was er zeker van dat ze hem een tweede levenskans gaven die hij met beide handen zou aangrijpen.

De liefde tussen Lucha en hem had een nieuw leven verwekt, voelbaar in die hoogzwangere buik. En de hartslag van dit levende wezen was meer dan voldoende reden om een groot deel van de middag in elkaars armen te blijven liggen, tot de vroegtijdige geboorte daar een einde aan maakte. Even later kwam als een geschenk uit de hemel een zevenmaands kindje ter wereld.

Júbilo gaf haar de naam Lluvia en zwoer nooit van haar weg te gaan, wat er ook gebeurde. Hij wilde haar alle aandacht geven en alle liefde die hij in zich had als dank voor elke dag die hij extra te leven kreeg. En zo gebeurde het ook. Júbilo bleef in Lucha's huis wonen tot Lluvia trouwde.

Het was die jaren niet altijd rozengeur en maneschijn. Het huwelijk van Júbilo en Lucha werd nooit meer zoals vroeger. Don Pedro had een donkere wolk nagelaten die boven hun huis en het kantoor hing. Júbilo kreeg zijn baan terug op het telegraafkantoor, maar de sfeer was niet meer hetzelfde. Er was iets ingrijpends gebeurd en Lucha droeg het geheim bij zich.

'Waarom heb je dat niet gezegd? Waarom heb je dat zo lang verzwegen?'
De telegraaf bleef maar doortikken in de kamer. Júbilo's vinger bewoog razendsnel maar er kwam geen antwoord. Door zijn blindheid kon hij niet weten dat het licht uit was en dat Lucha niet op de computer kon lezen wat hij 'zei'.
Lucha stond snel op uit haar stoel en rende naar de slaapkamerdeur. Deed hem open en schreeuwde keihard: 'Ambar, kom alsjeblieft!'

Lluvia kwam aangesneld, verontrust door het geschreeuw van haar moeder, ze dacht dat papa niet goed was geworden, maar toen ze de kamer binnenkwam zag ze wat er aan de hand was en probeerde er snel wat aan te doen.

'Wat zegt papa?'

'Hij zegt dat… het zijn plicht was voor je te zorgen en jou een prettig leven te geven en dat hij niet kon… dat het hem spijt dat hij heeft gefaald, dat hij jou alleen maar wilde liefhebben en dat hij niet wist hoe hij dat moest doen maar dat je altijd degene bent en blijft van wie hij in zijn leven het meest heeft gehouden…'

Dat was niet wat don Júbilo had gezegd, maar hij vond het geweldig dat zijn dochter het zo had uitgelegd. Hij keek Lluvia's kant op met iets van medeplichtigheid en slaakte een diepe zucht.

Eindelijk had ze zich dan durven uitspreken. Lluvia besefte dat ook. En ze was ervan overtuigd dat ze niets had verzonnen, dat ze alleen maar de woorden herhaalde die ze heel vroeger had gehoord, toen ze nog niet was geboren, toen ze in de buik van haar moeder het geschikte moment afwachtte om ter wereld te komen. Lluvia had op het moment dat ze vertaalde de stem gevolgd die al zo lang in alle hoeken en gaten van haar huis rondwaarde zonder zich te kunnen uiten. Toen Lluvia de ongewoon stralende ogen van haar moeder zag, wist ze dat haar vertaling juist was geweest. Het was haar gelukt een emotie naar boven te halen die lange tijd was weggestopt onder trots en hoogmoed. Voor het eerst signaleerde Lluvia karaktertrekken van haar moeder die ze nog niet kende.

Eerst had het haar verbaasd dat ze zo verdrietig keek toen

ze haar zieke vader zag, want ze had nooit verwacht dat zijn leed haar zoveel zou doen. Maar nu haar ogen straalden van liefde wist ze dat ze een ontdekking had gedaan die heel wat belangrijker was dan die van de archeoloog die Coyolxauhqui had blootgelegd.

Haar moeder had al die jaren onder een dikke laag onverschilligheid een liefdesblik verborgen die iedereen zou doen smelten! Die straalde vanuit het diepst van haar ziel. Het was onbegrijpelijk dat haar dat niet eerder was opgevallen. Lluvia's indruk dat haar ouders allang totaal geen contact meer met elkaar hadden was verkeerd geweest en daar was ze zich nu van bewust.

Ze dacht aan de manier waarop Samuel Morse in 1842 had ontdekt dat een draadloze telegraafverbinding mogelijk was en dat er geen kabels nodig waren om een bericht door te geven, want elektrische stroom verplaatst zich snel via een kabel... of zonder. Dat werd haar duidelijk toen ze een keer zag dat een boot per ongeluk de onderwaterkabel in een rivier beschadigde, zonder dat op dat moment de transmissie van een telegraafbericht werd onderbroken.

Haar moeders hand op die van haar vader zonder dat ze een woord zeiden, was voor haar het bewijs dat in de resonerende matrix die de kosmos is voortdurend overdracht van energie plaatsvond. Ze vroeg zich af of die onzichtbare en niet tastbare communicatie altijd tussen hen had bestaan, maar dat ze er nu pas achter kwam, omdat ze had gemerkt dat ze die heel gemakkelijk kon opvangen. Vreemd genoeg had Lluvia door don Júbilo's ziekte, die hem zoveel leed had gebracht, bemerkt dat zij dat met haar geboorte had meegekregen. Ze was daar liever veel eerder in haar leven achter gekomen. Wat had haar dat een rust gegeven in

haar jeugd als ze had geweten dat, hoewel de verbindings-
bruggen tussen haar ouders waren verbroken, de energie
bleef circuleren van de ene naar de andere kant, want ook al
was de communicatie verbroken, de liefde bleef zich bewegen met de snelheid van het verlangen. Ze hoefde alleen
maar naar de ineengestrengelde handen van haar ouders te
kijken om heel veel te begrijpen. De woede van haar moeder, haar voortdurende frustratie haar man niet te kunnen
kussen en omhelzen wanneer zij wilde, de manier waarop
ze haar woede afreageerde op haar kinderen in plaats van op
hem.

De frustratie van haar vader, de manier waarop hij zich
aan de muziek overgaf als substituut voor de strelingen van
Lucha. Opeens werd het haar allemaal duidelijk. Ze had het
liever veel eerder doorzien, maar alles komt op zijn tijd
en die kan niet naar wens versneld worden. Don Júbilo deed
er bijvoorbeeld een leven lang over om die kapotte brug te
herstellen, maar even voor zijn dood lukte het hem, en gerustgesteld ging hij heen.

Zijn laatste dag bracht hij half in coma door, niet in staat
zijn telegraaftoestel te bedienen. Hij had gewacht met sterven tot Lucha hem was komen opzoeken. Lluvia wist zeker
dat het licht in haar moeders ogen de weg van haar vader
naar het hiernamaals verlichtte. Ze namen zonder woorden
maar met veel liefde afscheid van elkaar.

Er is een schat aan volkswijsheid. Mensen hebben in gezeg-
den grote waarheden verwoord, maar toch krijgen ze pas
zin als je het zelf meemaakt. Vaak heb ik gezegd 'je beseft pas
wat je hebt als je het kwijt bent', maar pas toen mijn vader
stierf wist ik wat die woorden echt betekenden. Zijn afwe-

zigheid is niet te bevatten. Het is niet uit te leggen en over te brengen wat het betekent om alleen te zijn. Het enige wat ik weet is dat ik niet meer dezelfde ben. Ik ben nooit meer de dochter van don Júbilo. Ik zal me nooit meer beschermd voelen. Ik zal nooit meer het gevoel hebben dat er op de wereld een man was die altijd onvoorwaardelijk achter me stond wat er ook gebeurde.

Ik kan me de wereld zonder papa moeilijk voorstellen. Hij stond altijd naast mij, in goede en in slechte tijden. Als ik ziek was, was papa er. Als ik liefdesverdriet had, was papa er. In de vakanties was papa er. Op de schoolfeesten van mijn kinderen, was papa er. Als ik slecht bij kas zat, was papa er. Altijd lachend, altijd voorkomend, altijd bereid om te helpen, of de kinderen nou naar school gebracht moesten worden, of noten gedopt voor de rode pepers in notensaus, of dat hij met me meeging naar La Lagunilla, de vlooienmarkt, wat dan ook, papa stond altijd klaar om anderen te helpen van 's morgens vroeg tot 's avonds laat.

Ik weet dat het egoïstisch is om zo te denken. Het leven dat papa de laatste maanden leidde was geen leven meer. Hij had veel pijn. Hij wilde niet van anderen afhankelijk zijn. Het was echt een zegen dat hij doodging en ook de manier waarop hij stierf. Omringd door liefde, in aanwezigheid van ons allemaal die zoveel van hem hielden, in zijn eigen bed en niet in een kil ziekenhuis. Het enige wat ik jammer vind is dat ik hem niet meer heb kunnen meenemen naar zijn geliefde *K'ak'nab*, de zee bij de stad Progreso waar hij had leren zwemmen. We hadden wel plannen voor die reis, maar door zijn gezondheidstoestand is het er niet meer van gekomen.

Hij heeft in ieder geval wel afscheid kunnen nemen van

de zon. 's Morgens vroeg hij me of ik hem bij het raam wilde zetten zodat hij een laatste groet kon brengen. 's Avonds overleed hij.

We volgden zijn instructies en deden hem zijn witte linnen pak aan waarin hij met mama de danzón had gedanst en waarschuwden de begrafenisonderneming. Het was een bewolkte middag, zonder zon. Toch had mijn moeder een zonnebril op. Die droeg ze duidelijk om haar gezwollen ogen van het vele huilen te verbergen. Dat verbaasde me absoluut niet. Ik wist hoe verdrietig ze was. Wat me wel verbaasde was dat ze me bij mijn naam noemde. Toen we tussen de graven door liepen, pakte mijn moeder me stevig bij de arm en zei: 'Hou me vast, Lluvia.' Wat was ze kwetsbaar en klein! Ik begreep hoe eenzaam ze zich moest voelen nu ze voor de tweede keer haar man had moeten verliezen.

Toen ik terugkwam van de begraafplaats en liefdevol afscheid had genomen van Lolita, don Chucho, Nati en Aurorita, sloot ik de deur van wat zijn slaapkamer was geweest en liet die een week lang dicht. Ik kon er niet tegen zijn lege bed te zien, zijn radio die uit was, zijn telegraaf die niet werkte, zijn lege, eenzame en verlaten stoel. Na die zeven dagen had ik behoefte aan mijn vaders armen om me heen, liep zijn kamer binnen en ging in zijn stoel zitten. Zijn geur hing er nog en de armleuningen van zijn zachte stoel voelden nog warm aan, maar hij was er niet meer. Ik zou zijn rustgevende voetstappen nooit meer horen. Van jongs af aan wist ik dat alles goed was als ik hem thuis hoorde komen, dat elk probleem minder zou worden alleen al door zijn aanwezigheid. Dat was nu allemaal voorbij.

Ik herinner me hoe vreselijk het was om hem te zien sterven. Bij hem te zijn toen hij heenging. Ik dacht dat ik me goed had voorbereid op zijn dood, maar dat was niet zo. Daar ben je nooit op voorbereid. Het mysterie van leven en dood is daar te gecompliceerd voor. Dat kan niemand bevatten. We begrijpen nauwelijks wat er op driedimensionaal gebied gebeurt. We weten alleen dat de doden er niet meer zijn, dat ze verdwenen zijn en ons alleen hebben gelaten. Eenieder die een levenloos lichaam heeft gezien weet waar ik het over heb.

Toen ik naar het stijve lichaam van mijn vader op bed keek, moest ik denken aan het afschuwelijke gevoel dat ik als klein meisje had toen ik een marionet aan een spijker zag hangen na een marionettenvoorstelling. Even daarvoor had ik de pop zien praten, dansen, lopen en opeens hing daar onbeweeglijk, leeg en zonder ziel een stuk beschilderd hout in plaats van een menselijke figuur.

Het verschil tussen de marionet en papa was dat de marionet in handen van de poppenspeler weer tot leven kon komen, maar mijn vader niet. Dat lichaam zou nooit meer spreken, bewegen, lachen of lopen. Dat lichaam was dood en ik werd belast met zijn bezittingen.

Ik ging meteen maar aan de slag om de rouw niet langer te laten duren. Ik deed zijn kasten open, begon zijn kleren op te vouwen en zijn platen en boeken uit te zoeken. Die van Virginia López en het trio Los Panchos hield ik zelf.

Plotseling ontdekte ik een doosje waar kennelijk aandenkens in zaten. Ik deed het langzaam en vol ontzag open. Er zat een foto van mijn moeder in van toen ze ongeveer vijftien jaar was. Een ovale foto van mij op de lagere school. Een foto van mijn kinderen en een van mijn broer. Een zakje met een plukje babyhaar en een briefje in het handschrift van mijn vader waarop stond 'herinnering aan mijn lieve Ramiro'. Een notitieboekje met aantekeningen van Maya-data en de gedetailleerde tekening van een Maya-stèle. Een plectrum om gitaar mee te spelen en een lucifersdoosje. Toen ik dat opende vond ik daarin mijn eerste tandje met een briefje waarop papa de datum had geschreven dat ik het was kwijtgeraakt. Opeens kwam die dag weer voor mijn geest. Papa bracht me naar bed en hielp me het tandje onder mijn kussen te stoppen zodat de muis hem zou meenemen. Ik vroeg pappie wat er met mijn tandje zou gebeuren en hij antwoordde: 'Maak je maar geen zorgen lieverd, de muis komt het tandje halen en legt er geld voor in de plaats...'

'Dat weet ik, maar wat gebeurt er dan met mijn tandje?'

'Daarna?'

'Ja, als de muis het heeft.'

'Nou, dat bewaart hij in een doosje met zijn kostbaarste schatten.'

'Nee, pappie, je begrijpt me niet, ik wil weten wat er met mijn tandje gebeurt, gaat dat stuk?'

'Eens kijken... ja, maar het duurt jaren en jaren voordat het tot stof vergaat, maar maak je daar nu maar geen zorgen over, kruip maar in bed en ga maar lekker slapen, Chipi-Chipi.'

Mijn vader had gelijk. De 'muis' had mijn tandje tussen zijn kostbaarste schatten bewaard en ook al zag het er nog goed uit, ik weet dat het uiteindelijk tot stof vergaat, maar dat duurt nog vele jaren. Dat zal ik misschien niet meer meemaken, maar die gedachte hielp me mijn verdriet te verzachten. Ik dacht even na over stof. 'Stof zijt gij en tot stof zult gij wederkeren.' Alles wat leeft, eindigt als stof. Wij lopen tussen stof van vlindervleugels, bloemen, sterren en rotsen. We ademen stof in van nagels, haar, longen en harten. In ieder klein stofdeeltje zitten stukjes herinnering, liefdesnachten. En op dat moment was stof voor mij niet langer een teken van enorme eenzaamheid maar juist het tegenovergestelde. In stof zetelden miljarden aanwezigheden van wezens die de aarde hebben bevolkt. Daar zweven resten van Quetzalcóatl, Boeddha, Gandhi en Christus. In stof circuleerden huidschilfertjes van papa, restjes van zijn nagels en zijn haar. Die zijn verspreid over de hele stad, over alle dorpen waar hij met mijn moeder is geweest, door mijn hele huis.

En dat niet alleen, mijn vader leefde in mijn lichaam, in dat van mijn broer, van mijn kinderen en mijn nichtjes en neefjes. Zijn biologische en emotionele erfenis zit in ons allemaal. In onze hersenen, in onze herinneringen, in onze levensopvatting, de manier waarop we lachen, praten en lopen.

Tijdens de begrafenis kon ik bij deze gedachte mijn broer oprecht omhelzen, wat ik vele jaren niet had gedaan. En me verzoenen met het leven.

Misschien wil ik me zo graag goed voelen en geloof ik daarom stellig dat papa bij me is. Na een aantal dagen heeft mijn leven weer zijn normale gang genomen, maar toch heb ik soms het gevoel tijdens mijn dagelijkse bezigheden dat mijn vader me begeleidt en dat geeft me rust. Soms hoor ik duidelijk hoe zijn stem in mijn hoofd 'weerklinkt'. Of het nu waar is of niet, ik weet dat papa, waar hij zich ook bevindt, verrukt zal zijn als hij weet dat ik weer astronomieles heb, waar ik mee was gestopt toen ik ging trouwen, dat ik de

Maya-taal aan het leren ben en dat ik mijn kleinzoon, de zoon van Federico, zodra hij kan lezen en schrijven eerst de Maya-nummers ga leren zodat zijn verleden niet verloren gaat.

Vannacht heb ik een veelzeggende droom gehad. Papa en ik reden in zijn oude auto, de Chevrolet 56. We gingen naar Progreso in Yucatán. Het stikte van de vlinders onderweg. Er vlogen er een paar tegen de voorruit. Ik reed. Toen vroeg papa of hij mocht rijden. Opeens en zonder mijn antwoord af te wachten, zat hij achter het stuur. Ik wist dat hij blind was, maar toch was ik niet bang terwijl hij reed. Papa lachte van geluk en ik deed met hem mee. Alleen in de bochten was ik een beetje bang, want papa draaide niet bijtijds aan het stuur. Onverwacht in een bocht bleef papa rechtuit rijden, maar in plaats van naar beneden te storten vlogen we. We vlogen snel over diverse provinciehoofdsteden en overal stonden mensen naar ons te wuiven. Wij zagen een heleboel boeren die vrolijk met hun hoed zwaaiden alsof ze ons kenden. Toen we bij zee kwamen zei pappie 'Kijk, Chipi-Chipi,' hij sprong meteen het water in en spartelde rond. Ik stond verbaasd dat hij dat ondanks alles en de ziekte van Parkinson zo goed kon.

Langzaam ontwaakte ik uit die diepe droom door een of ander geluid en dat bracht me terug tot de werkelijkheid. Het was een morsebericht dat klonk tegen het houten hoofdeinde van mijn bed dat ik naar het noorden heb gericht.

Vreemd genoeg gebeurde dat op 14 februari. In Mexico vieren we behalve Valentijnsdag ook de Telegrafistendag en dat weten maar weinig mensen. De telegrafisten, personen die zo'n belangrijke rol hebben gespeeld in de geschiedenis van de telecommunicatie, zijn in de vergetelheid geraakt. Ik begrijp dat niemand meer aan don Pedro wil denken, maar het is triest dat niemand voordat hij het internet op gaat erbij stilstaat dat de telegraaf indertijd het equivalent hiervan was en dat de telegrafisten er wezenlijk aan toe hebben bijgedragen dat wij nu kunnen profiteren van die snelle verbinding. Vergeet het maar, het leven is soms zo ondankbaar, maar dat geeft niet, het boeiendste van het communicatieproces is dat wij ons bewust worden van het feit dat de woorden die uit ons komen, of dat nu in geschreven, gesproken of gezongen vorm is, door de ruimte zweven samen met de echo van andere stemmen die ze al voor ons hadden uitgesproken.

Ze circuleren door de atmosfeer met het speeksel van andere monden, vibraties van andere oren en geklop van duizenden opgewonden harten. Ze sluipen het geheugen binnen en wachten rustig af tot een nieuw verlangen ze weer tot leven wekt en oplaadt met liefdesenergie. Dat is een van de eigenschappen van woorden die me het meest ontroert, hun vermogen om liefde over te brengen. Woorden zijn net als water wonderbaarlijke geleiders van energie. En de liefdesenergie heeft het grootste transformatievermogen.

Iedereen van wie het leven met de hulp van mijn vader was veranderd, belt hem altijd op deze dag om hem te feliciteren. De eersten waren Jesús en Lupita en ze waren heel bedroefd toen ze vernamen dat mijn vader was overleden, de telegrafist die duizenden personen, illusies en verlangens wist te verbinden.

Dat is uiteindelijk het belangrijkste, dat iemand blijft bestaan in de herinnering door het transformatievermogen van zijn woorden. Overigens, die in mijn bericht luidden:

Laura Esquivel

Lieve Chipi-Chipi, de dood bestaat niet,
maar het leven zoals jij dat kent is
fantastisch, geniet er maar van!
Ik blijf altijd van je houden.
Papa

Laura Esquivel
Rode rozen en tortilla's

De luxe culinaire editie van de roman waarmee Laura Esquivel wereldberoemd werd: het magische verhaal van Mama Elena en haar drie dochters op de kleurrijke Mexicaanse haciënda, geïllustreerd en met uitgebreide recepten.

ISBN 90 6974 284 5

Sandra Benítez
Het gewicht van alle dingen

De negenjarige Nicolás verliest zijn moeder uit het oog na
een schietpartij op een plein in San Salvador. Zo beginnen zijn omzwervingen door de jungle van El Salvador,
waarbij la Virgen Milagrosa, de Maagd van de Wonderen,
hem op een wonderbaarlijke manier bijstaat.

ISBN 90 7974 400 7

Latina Love

De mooiste liefdesverhalen van Laura Esquivel, Cristina García, Julia Alvarez en andere Latijns-Amerikaanse schrijfsters. Wat ze met elkaar gemeen hebben is hun opmerkelijke talent voor het vertellen van kleurrijke verhalen. Ze nemen je mee naar een exotisch continent waar de liefde nog altijd warmbloedig wordt beleefd.

ISBN 90 6974 420 1

Patricia Sagastizábal
Een geheim voor Julia

Een geheim voor Julia is een aangrijpende en scherpzinnige roman over de relatie tussen een moeder en dochter die is vertroebeld door een meedogenloos regime. Patricia Sagastizábal snijdt een controversieel en actueel onderwerp aan: de verschrikkingen van de Argentijnse junta.

ISBN 90 6974 415 5